樹海村
〈小説版〉

命は親から頂いた大切なも
もう一度静かに両親や兄弟
子供のことを考えてみましょ
一人で悩まず相談し
連絡先
自殺防止
0559－1

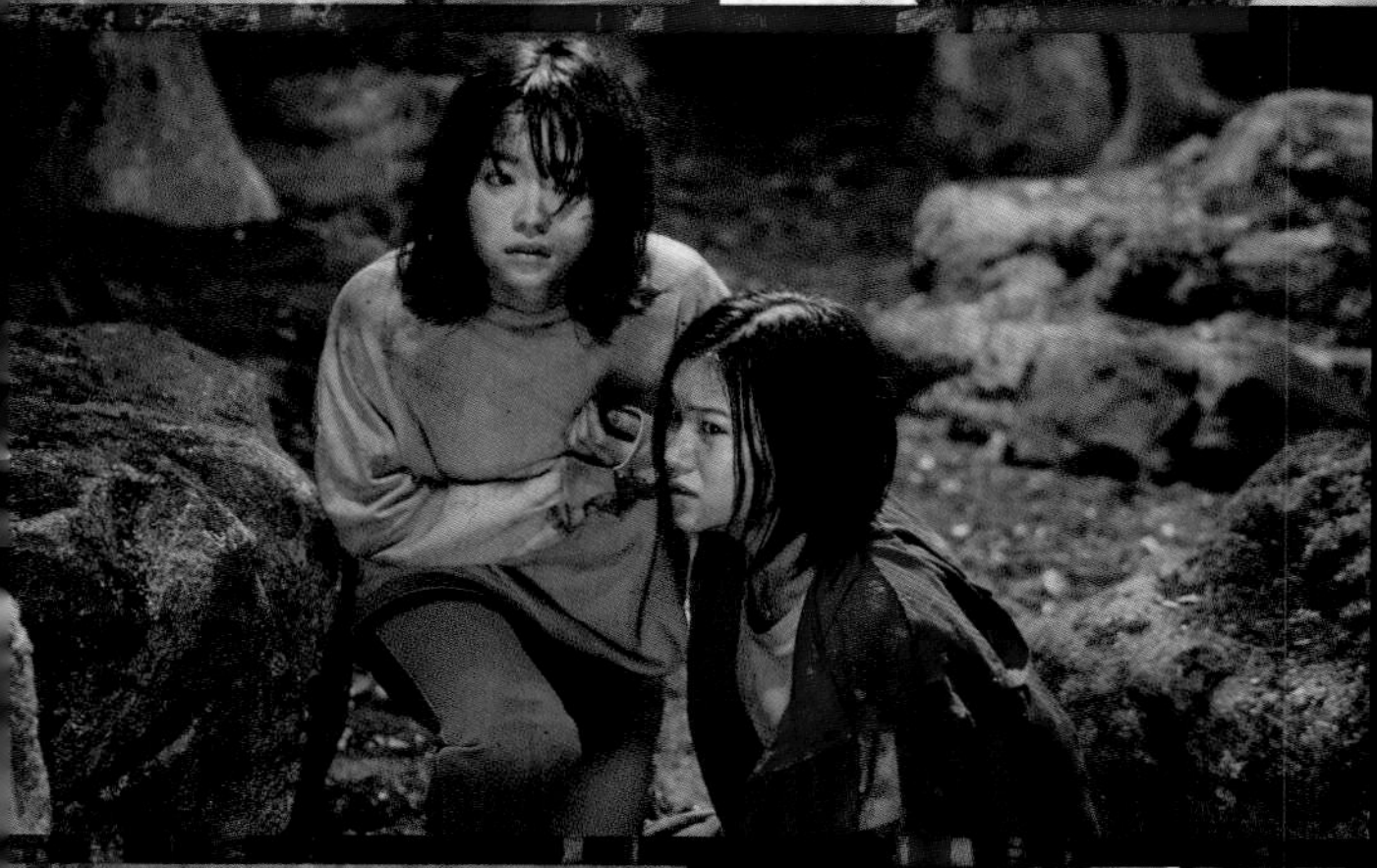

樹海村

〈小説版〉

［著］
久田樹生
［脚本］
保坂大輔　清水崇

竹書房文庫

目次

樹海村〈小説版〉

序章　樹海

風が吹いていた。

降り注ぐ陽光を拒むが如《ごと》き深き森を渡り、轟々《ごうごう》と、叫ぶように。

風は、青々とした匂いを奥から運ぶ。

目の前に折り重なる濃い緑は、遠い奥で黒へと変貌し、行く手を阻むように横たわる。

風の激しい唸《うな》りは獣のように吠《ほ》えすさぶ。

気圧《けお》される身体を、後ろから何かが押した。

風と共に、緑色の欠片のような葉たちが飛んでくる。

顔に当たったそれは、軽い痛みを伴いながら青い匂いを残して、背後へ飛び去っていく。

風が足下で舞い上がった。

渦を成す流れは衣服を剥《は》ぎ取らんばかりだ。

風に煽《あお》られ、両足が揺らぐ。

同じように心も揺らぐ。今なら、まだ、と。

風を受けた目が乾く。

しかし、瞼《まぶた》を閉じることは出来ない。濃緑《のうりょく》の海がそれを赦《ゆる》さない。
風も赦さないのだろうか、流れが変わる。
全身を強く押すように、後ろからやって来る。
風に抗《あらが》うように、精一杯手足に力を込める。
背負ったものが、コトリ、と音を立てた。

風が吹いていた。
深い緑の海へ漕《こ》ぎ出すように、わたしは足を——。

第一章　払暁《ふつぎょう》 ―― 或《あ》る男

ハンドルの向こう。フロント硝子《がらす》越しの空が白んでくる。

さっきまで瞬いていた星は知らぬうちに消えていた。

右を見れば、色を取り戻し始めた黒い緑が視界の端に流れゆく。みっしりと密度ある木々の集合体だ。それらは、まるで互いをかばい合うように枝や幹を絡み合わせ、広がっていた。

見慣れた深い森、である。

アスファルトが敷かれた道路から奥を見やることは難しい。逆も然《しか》りだろう。鬱蒼《うっそう》と茂った森の奥深くからは、こちらを覗《のぞ》き見ることすら出来まい。

菫《すみれ》色から、灰色。そこから滑らかに朱《しゅ》色へと変化してゆく空へ目を移した。

男はハンドルから右手を外し、車のライトを消す。すでに無用な光だ。

握り直した手はごつい。長い年月を帯びた手だった。指は太く短く、掌《てのひら》は厚みが目立つ。

所々に傷跡であろう古い引き攣《つ》れやタコのような膨らみが見え隠れしている。

シートの背もたれから背中を離し、身を捩《よじ》ってから座り直した。長時間、さほど速度を上げず車に乗り続けることは苦ではなかったはずだが、最近は背骨と腰の一部に痺《しび》れるような痛みを感じることが増えた。

目深に被《かぶ》ったキャップから覗く顔には、深い皺《しわ》が刻まれている。髪は短く刈り揃《そろ》えられているが、全て白くなっていた。

幾度か瞼《まぶた》を瞬かせてから、眉間《みけん》に皺を寄せ、目を見開く。幾分、険が湛《たた》えられた目だった。

男はチラ、と横を見る。

窓側に身を寄せるようにして、若い女性が助手席に座っていた。十代終わりか二十代頭くらいの、今が花という見た目だ。

両目が閉じられている。眠っているのだろう。ただ、緊張したまま眠りに落ちたせいか、眉間に深い皺が寄っていた。

(……構えることたァねえのにな)

幾らこんな時間、こんなところへ半ば無理矢理連れてきたとしても、だ。

男がへの字に結んだ口を開き掛けたとき、女性が薄らと目を開ける。

そして鋭い声で叫んだ。

「あ、あの……！」

女性はフロント硝子の向こうを凝視していた。

視線の先には、若い男の後ろ姿があった。

森の切れ目をなぞるように通る道を、トボトボ歩いている。

男はアクセルを緩め、観察を始めた。

布製のザックを担いでいるが、服装は軽装だ。足下に至ってはただのスニーカーである。疲れ切ったような重い足取りだ。

こんな姿でこんな場所をこんな時間に歩いているのは、一見して怪しむべきであろう。誰だってそう考える。ここは自殺の名所なのだから。しかし——。

真横を通り過ぎようとしたとき、助手席の女性が焦《あせ》った様子で窓の開閉ハンドルに手を掛けた。

男は歩行者の姿、ことにその両眼をちらと確認し、口を開いた。

「……残念だったな」

幾分ぶっきらぼうな声色に、女性がキョトンとした顔でじっとこちらを振り返る。言葉の真意を測りかねているのか、その瞳は困惑の色を浮かべている。

「死ぬ奴《やつ》のそれじゃない」

「は？」

「目だよ」

女性の混乱も収まらぬうちに、道端を歩く男がサイドミラーから遠ざかっていく。

彼女の目が何度も後方へ向いた。何か言いたいのだろうが、言葉が見つからないらしい。沈黙を断ち切り、男はハンドルを握りながら、淡々と声を発す。

「ここで死ぬ奴を山ほど見てきた……」

そうだ。しつこいほどの長い年月を掛けて、俺はここで死んだ奴を沢山見てきた。青木ヶ原樹海。俗称・富士の樹海。自殺の名所と言われる場所で。

腐敗し、原形を留《とど》めないほど傷《いた》んだのもあれば、生きているのではないかと思う物もあった。中には野犬に食い荒らされて、内臓がスッカラカンになったものもあった。傷ひとつない顔は、まだ若かった。それこそ隣に座っているヤツと同じくらいだろう。

他、いろいろな死体を、男は見てきた。

死体の中には、森の畔《ほとり》を歩いているとき、言葉を交わした奴らもいた。

「普通に挨拶して、普通に話して、普通に別れて……」

女性は、僅《わず》かに眉根《まゆね》を寄せる。それでも男は言葉を止めない。

「翌朝、死んでんだよ」

死、という言葉で、女性の男を見詰める目が、明らかな怯《おび》えの色に変わった。男は声の調子を変えることなく、言葉を重ねていく。

「人間いつどうなるかわかりゃしない……」

そうだ。こんなところに訪れる自殺志願者だけではない。コイツも、自分も。

「今のあんたなら、わかるだろ？」

俯《うつむ》くように目を伏せて、女性が頷《うなず》く。

自身が自殺志願者だった頃を思い出したのか。

ふン、と男は微《かす》かに鼻を鳴らし、口を開く。

「これから厭《いや》ってほど――」

そう語りかけたとき、左の視界の隅に何かを捉えた。

木々の緑でも、幹の色でも、野生動物の毛皮でもない色が二つ、低く生える草むらから道路に飛び出してくる。

男は慌ててブレーキを掛けた。シートベルトがロックされ、助手席の女性の身体が前後に大きく揺れる。

アスファルトの上でうずくまっているのは小さな子供らだった。

少女が二人。

それぞれの服は、特段変わった物ではない。年相応の服装だが、異様なほど汚れている。

いや、それだけではなく、強い力で引っ張られたように、袖や裾が伸び、破れていた。

ひとりは小学校低学年。もうひとりは保育園か幼稚園児くらいだろう。

ふと、孫の姿が浮かんだ。

周囲を見渡すが、近くに保護者らしき姿はない。それ以前にあの様子は一体なんだ。

男は車外へ飛び出した。置いていかれたくないのか、女性もドアを開け、後に続く。

少女らは、こちらの姿を見て、目を丸く見開いた。まるで見てはならない何かを見てしまった、そんな表情だった。

年嵩《としかさ》であろう少女はもうひとりの少女の手を取り、森の中へ戻ろうとする。

立ち尽くす女性を尻目に、男は全速力で駆け寄り、少女たちを抱きかかえようと腕を伸ばした。だが、その先をすり抜けるように草むらの中、木々の合間へと入って行く。

ダメだ。男が叫ぶ。

ダメだ。森へ――樹海へ戻るな。

幼い子供とは思えない力で手を払いのける少女を、なんとかひとりずつ捕まえた。

小さな方の少女が叫んだ。

捕食者を威嚇する獣のような必死な叫びだった。

女性がその場にへたり込む。

轟《ごう》、と風が吹いた。

小さき子の雄叫《おたけ》びを掻《か》き消すかのように、強く、激しく。

ドウドウと音を立て、樹海を渡った風が男を、女性を、少女らを嬲《なぶ》っていく。

朝日すら差し込まない昏《くら》い森の中、少女たちが出てきた木々の合間には、ポッカリと黒い空洞が空《あ》いていた。

男——出口民綱《でぐちたみつな》の目には、まるで、全てを吸い込むような大きな口に見えた——。

第二章　配信　――　或る少女

薄暗い。

昼間だというのにカーテンを閉め切っているからだ。

部屋の中は、エアコンが効いていてそれなりに涼しいが、全国では猛暑日が続いていた。加えて、感染率の高い病魔が追い打ちを掛けるように日本を跋扈《ばっこ》し、覆い尽くした。連日のニュースや新聞もこの二つに関してが、メイントピックスだった。

この世界的大流行のウイルスに関して、SNSやネット掲示板では感染者への罵詈雑言《ばりぞうごん》が溢《あふ》れている。もちろん、身勝手な行動を取った者への批判は当然だろう。しかし、意図せぬ事態から罹《かか》った人間にも容赦はない。まるで中世の魔女狩りのような文言が繰り返し書き込まれている。

それらはまるでこの世界を、人そのものを厭《いと》う呪詛《じゅそ》の声だ、と思う。

（うんざりする）

少し猫背気味の少女は、ため息を吐きながらカーペットに腰を下ろした。

Tシャツにたっぷりと余裕あるイージーパンツは、いつもの部屋着だ。十代後半にしては、少し地味で洒落《しゃれ》っ気がないかも知れない。

ふと何かを思い出したかのように、彼女は顔を上げた。肩まで届かない黒髪が揺れる。まだ僅《わず》かにあどけなさを残したその瞳が、机の上にあるデスクトップパソコンを捉えた。これから始まる配信のことを考えると、意識せずとも視線が鋭くなる。と同時に二度目の深いため息を吐く。

パソコンから気持ちを遠ざけるように、他の場所へ目を向けた。

背後にあるダークカラーのカラーボックスと木製シェルフの中には、図鑑や各種児童書、小説類の他に、様々なオカルトやスピリチュアル系の書籍が綯《な》い交《ま》ぜになって収められている。それだけではスペースが足りないのか、床にも本が積まれていた。

「肉体と死と悪魔」「ラピスラズリ」「魂の旅路」「霊的治療の解明」「ジャック・ウェバーの霊現象」「怪異を読む・書く」「死者の饗宴」「カバラ魔術の実践」「トートの書」「心霊的自己防衛」「樹海考」「青木ヶ原樹海　伝承と真実」「富士樹海奇譚　実録怪異譚」「怪奇骨董翻訳箱」「ビジュアル博物館　文字と書物」「ビジュアル博物館　インディオの世界」「ボウエン幻想短篇集」「白い果実」「記憶の書」「緑のヴェール」――他、数え切れない本たちだ。

彼女は読書家であった。

読書は独りで出来る上、知識も得られる。だから沢山の本を繰り返し読んだ。そしてこれらだけを手元に残すことを選び、他はネットで売り払った。それでも残った冊数は多いかも知れない。

少女はもう一度、今度は小さくため息を吐き出す。

そして立ち上がり、デスクの前にある椅子に座ってから、近くに掛けておいた白い開放型ワイヤレスヘッドホンを装着する。一度姿勢を正してから、慣れた手つきでパソコンをスリープ状態から復帰させた。そのままマウスを操ってブラウザを立ち上げ、ブックマークから動画サイトを呼び出す。

そこには配信開始予定時刻が刻まれていた。

まだ、もう少し先だったな、と少女は思い、ヘッドホンを耳からずらした。

耳から入ってくるのは、喧《やかま》しい蝉《せみ》の声、遠くを走る車のクラクション、階下の気配、そして揺れる木々のざわめき。

（まただ）

目を閉じ、口の中で何言か微《かす》かに繰り返す。数呼吸分続いた後、満足したのか彼女は目を開いた。ヘッドホンを首に掛け、マウスをクリックする。〈樹海〉という名のテキストファイルが開いた。

〈樹海〉

山梨県富士河口湖町の鳴沢村《なるさわむら》にまたがって広がる原始林を青木ヶ原樹海と称す。位置は富士山の北西麓。地図上では富士山を中心に見て、左上に広がる森の一部。大室山《おおむろやま》展望台からなら南西方向（地図上だと左下）に望めるお椀型の山から本栖湖《もとすこ》にかけた一帯である。

西暦八六四年（貞観《じょうがん》六年）に起こった、富士山の噴火——貞観大噴火により流れ出た溶岩は、元からあった森林地帯を焼き払い、広大な湖のほとんどを埋め尽くしてしまった。以後、一二〇〇年ほどの時を経《へ》て、溶岩地帯に暗い緑色をした針葉樹が根付き、原始林と化した。これが富士山原始林、あるいは青木ヶ原樹海である。

青木ヶ原樹海は富士の樹海とも呼ばれている。

富士山頂から眺めた際、広大な森の木々が海原でうねる波のように見えたことが「樹海」と呼称されるきっかけになったとも聞く。

この樹海は溶岩が流れ込んで形成された土壌であるため、溶岩洞窟が数多く見られる。富岳《ふがく》風穴、鳴沢氷穴、西湖蝙蝠《さいここうもり》穴が大きなものだが、それ以外にも地中に大量の空洞が存在していると考えられている。

更に、樹海内部の地表は凹凸が激しい。加えてガラス質を多く含む土質のため、転倒などをしたときに怪我《けが》をしやすいのも特徴だ。よって、樹海内部を歩く際は皮膚が出ないような服や、頑丈な靴を準備することが肝要《かんよう》である。

実は樹海の中に〈国道139号〉〈県道71号線〉などが通されており、車での通行が可能な場所もある。

「樹海内部は方位磁針が効かない、GPS（地球全域測位システム）をロストする。だから迷って出られなくなる」等の話を耳にするが、実際はそのようなことはない。

樹海内部に天然の磁石とも言うべき磁性体の岩・磁鉄鉱《じてっこう》があるため流れた噂《うわさ》に過ぎない。

GPSも然《しか》りである。

他にも〈自殺の名所〉〈心霊スポット〉の噂があり――。


少女は自分の打ったテキストに目を通す。

本とネットで調べたことをまとめ、備忘録的に書いただけのものだ。単なるメモと言っても構わない。だが、彼女にとっては必要なことだった。

パソコン画面右下の時計をちらりと見た。

そろそろ動画のライブ配信が始まる。ヘッドホンを着け、液晶を見詰める。

突然、動画が始まった。

〈アッキーナTV〉というチャンネルだ。

画面中央、自撮りするような角度で、俯瞰《ふかん》気味に若い女性が映っている。

年齢は二十代前半くらいだ。

背景は木々が立ち並ぶ道で、どこか登山道のような雰囲気がある。周囲は明るい。しかし、少女の目には少しだけ薄暗く感じられた。

『ハロー、アイム、アッキーナ！』

配信者はアッキーナと名乗っている。本名はアキナらしい。

縁の付いた帽子を被《かぶ》っており、目鼻立ちがハッキリした面立ちだ。

薄手のグローブに、黄色い登山用ジャケットらしき姿。胸の一部がシースルーとなった白いインナーを身に付けている。画面上には上半身しか映っていないので他の部分に関しては分からない。多分、足下は野外で歩き回れるそれなりの格好をしているはずだ。

『初めての人も、常連の人も、ようこそアッキーナＴＶへ！　幽霊ピース！　さあ皆さん、やってきました！　配信始まりますよ』

開始の挨拶はやけに手慣れている。

幽霊ピースとは、胸の高さにピースサインを作り、指先側を下へ向けたものだ。幽霊が両手をだらんと下げているイメージから名付けたのだろう。

少女は苦笑もせずに画面を見詰め続けた。

調べて分かったが、このアキナという人物は、一年ほど前話題になったアッキーナという動画配信者にあやかってチャンネル名を決めていた。本名が同じアキナであったことと、顔が似ていたから、らしい。

元ネタとなったアッキーナの動画は突然配信停止になった。

噂では、絶対に行ってはならない集落へ動画を撮影しに行き、その後自殺。だから配信が止まったのだと、まことしやかに囁《ささや》かれていた。

この不確かな情報が流れるや否や、アッキーナと名乗るオカルト動画配信者が一気に増えた。再生回数稼ぎのためである。加えて、便乗したイベントを企《たくら》む連中も出てきた。中には関連させた雑誌記事や書籍を出して稼ごうとする者もいる始末だ。他には〈行くと呪われる謎の集落に、本当のアッキーナが突撃してみた〉と題したフェイク動画まで作る輩《やから》が複数おり、アンチコメントで炎上することも多々あった。

（この人も便乗だろうけど……）

少女が眉《まゆ》を顰《ひそ》めると同時に、画面の中でアキナの笑顔が急に曇った。

コロコロと表情が変わるのは、動画配信者的な自己演出法である。

アキナは真剣な面持《おもも》ちで、続く話題を切り出した。

『二〇二〇年、七月十七日、金曜日。……今日は特別です。オカルト特集第二弾！　アッキーナ、ついにやって来ました！』

ここで映像が切り替わり、まばらに並んだ木々が映し出される。

スマートフォンの外カメラへ変えたのだ。

雰囲気から、自撮り棒、あるいはセルフィー棒と呼ばれるものを用いて撮影していることとが窺《うかが》いしれた。自撮り棒とはスマートフォンなどの撮影可能な機材を先端に取り付け、手元のボタンで様々な操作が出来る道具である。動画配信者の必須アイテムと言えよう。

『アッキーナTV見てくれてる人、ここどこか、分かる方もいますかね？』

再び内カメラに映像が変わる。

アキナはその場で左右にカメラを振り、周囲の風景を映していく。

『絶対に行ってはいけない、入ったら二度と出られない、と恐れられる富士の樹海から、私アッキーナが生配信でお送りしています！』

盛り上がりと比例するかのように、視聴者からのコメントが次々に流れて来る。

視聴者数は千名を越えているからか、速度が速い。

日本語、英語、中国語らしき漢字のみのもの、ハングル文字のものまである。

中でも熱心な視聴者である常連たちが、矢継ぎ早にコメントを打ち込んでいるようだ。

ラジオヘッド〈ヤッベー〉
ピル男〈コイツアホやｗｗｗ〉
ド腐れゾンビ〈アッキーナ、命綱は？〉

ハンドルネームだけでは性別も、年齢も、どういう人間なのかも判別がつかない。

それらを横目にしながら、アキナが反応する。

『はい、皆さん、コメント有難うございます。……そう、命綱！　大丈夫です！」

手にした赤いテープをカメラに映してアピールをしている。テープは俗に言うPEテープ、ポリエチレン製の薄く幅広いものだ。サイズはガムテープと同じくらいだが、粘着テープではない。その赤いテープの先端はどこかへ結わえ付けている様子だ。

一度迷うと出てこられないという樹海の伝説のせいか、視聴者もアキナもこうして命綱に関して敏感になっている節がある。

アキナは更に左腕を指差した。

『あと、ほらGPSも！　準備万端です！』

そこにはバンド状のGPSホルダーが巻き付けてある。もちろん、ホルダー内には液晶画面付きのGPSが収められていた。

タルピオット〈準備万端ｗ〉

昼顔〈途中で切れたりしてｗｗｗ〉

ピル男〈早く、中行けや〉

視聴者は好き勝手に言い放っている。

アキナはそれらに律儀にリアクションする。

『さあ……それでは……はいはい……中へ進んでいきたいと思います』

カメラは内モードのまま、アキナが進んでいく。

ここからの映像はさほど動きはなく、退屈だ。移動しながら周りの景色へ切り替えたり、視聴者コメントに反応したりと、特におかしな部分はなかった。

だが、森の奥に入るにつれ、周囲の雰囲気が変わっていく。

木々の密度が上がり、葉の緑が色濃く、黒っぽくなっていく。地面に太い樹木の根と緑色の苔《こけ》が目立ってきた。根は生物の触手のようにうねっている。

足下の起伏も増したのか、アキナの息遣いが荒くなってきた。

『よいしょ……はぁ……ちょっと……運動、やりなおさなきゃだな。……次、筋トレ動画出しますね』

彼女は次の動画について予告しながら足を動かした。

アキナの動画コンテンツは多岐に渡っていた。それこそレシピ系、美容系、商品レビューなども多い。もちろん今回のように屋外で撮影されたものも人気のようだった。特にオカルトめいたものは再生回数がひと桁《けた》違う。それが、彼女がわざわざ樹海まで足を運んだ要因であることは想像に難くない。

タルピオット〈自殺者の遺体希望〉
ピル男〈それは絶対〉
ラジオヘッド〈見つかんかったら、かなり寒いべ〉

アキナの顔が少し強《こわ》ばったが、続く表情はどこか芝居がかっている。

『え、遺体？　遺体ですか？　そんな絶対って言われても……怖いし……。もしアキナ、帰れなくなったら、皆さん探してくださいね……。あ、でも、これあるから大丈夫か』

命綱である赤いテープへカメラを向ける。何ヶ所か木の幹を支点に折れ曲がりながら、テープは弛《ゆる》むことなく張っている。

アキナは再び息を切らせながら樹海を進んだ。

突然彼女が小さく声を上げた。

『え……？』

絡み合うような木々の中を歩く、ひとりの人間の後ろ姿をカメラが捉えた。

布製のザックを背負った男だ。

軽装であるが、全身の色味はアースカラーでボンヤリしている。少し流行遅れに感じる。

（……この人）

モニタを見詰める少女は眉根《まゆね》を寄せ、画面の男から少しだけ目を逸《そ》らす。

カメラが切り替わり、逼迫《ひっぱく》した状況のアキナが映し出された。
『人です！　……人が歩いてますッ！　見えますか』
カメラが再び男へ向く。

ド腐れゾンビ〈嘘……！〉
昼顔〈自殺だ〉
ピル男〈追いかけろ！〉

アキナは困惑したような表情に変わっている。

ラジオヘッド〈止めなくてイイのかよ！〉
ピル男〈早く行けって！〉

ただの興味本位の書き込みでしかないが、それでもアキナは反応を返す。
『あ……あれは絶対、自殺だと思います！　今から止めに行きたいと思います！』
硬い表情と声色から、彼女が如何《いか》に怖《お》じ気《け》づいているか伝わってくる。
モニタの前で、駄目、と少女の口が声なく動いた。

ジーニー〈追いかけちゃダメ〉

同時に新たなコメントが流れてくる。しかしアキナは気付いていない。

『すいません！　待ってください！　すいません！』

大声で呼びかけながら、張り出した枝を避け、背の高い草を漕《こ》ぐように追いかけていく。

カメラが大きく揺れ、画像の位置が定まらない。

アキナは突然転んでしまった。それでも慌てて起き上がり、追跡を続ける。

『すいません！　待ってってば！！』

息せき切ってアキナは追う。激しく揺れる映像を見る限り、彼女を無視して進む男との、追いかけっこのようだ。

どれくらい追跡しただろう。

男の姿がフレームから消えた。

さっきまで映っていたはずなのに、忽然《こつぜん》と。密集する森の木々に、存在そのものを覆い隠されたようにも感じる。

息切れするアキナが必死な様子で周囲を見渡す。

『いないッ……いなくなりました！』

アキナは男を見失った。唖然《あぜん》として、立ち尽くす。
ラジオヘッド〈なにやってんだよ!〉
ピル男〈探せって〉

『そんなこといわれても……』

困ったように呟《つぶや》きながら、アキナは男を探す。その目が何かを見つけた。

『うわ……岩の上に』

カメラが切り替わる。巨石が映し出された。大人数名が手を繋《つな》ぎ、やっと囲めるほどの大きさである。

アキナが立っているところから一段上がった場所だ。森の風景から浮き上がるような存在で、異様に目立っていた。

その巨石の上に、天へ向かって聳《そび》えるような大木が根付いている。

捩《よじ》るように伸びた幹のサイズから考えて、かなりの樹齢だろう。太い根が、岩を侵食するかのように巻き付いていた。

加えて周辺は起伏が激しく、向こう側へ抜けられそうなのはこの岩部分だけだった。

『木が立ってます! さっきの人も、ここ越えてったってこと……!? じゃあ、登ってみたいと思います……よいしょ……』

困惑と若干のあざとさを匂わせながら、アキナは岩を乗り越える。

体勢を整えた瞬間、彼女の顔が歪《ゆが》む。視線は自らの足下に注がれていた。

続いてレンズが地面へ向けられる。

最初、それがなんであるのか分からなかった。

厭《いや》なものだ、と言うことだけが少女には瞬時に理解できる。

歪《いびつ》な細い棒で組まれた人の形をしたものがそこにあった。

樹海に生えていたか、落ちていたかした木の枝で作られたのか。不器用な人間が辿《たど》々しい手つきで作り上げた、そんな雰囲気を持っていた。

どことなく呪いの藁人形《わらにんぎょう》めいている。

その近くには表面に何かが描かれた平らな岩状のものが置かれていたが、意味は全く分からない。

さらに、周囲にはボロボロになった衣服が地面に張り付いていた。

『え……!?　なに、これ』

声色は、アッキーナというキャラクターからアキナ本人の素のトーンへと変わっている。

沸き立つようにコメント群が下から上へ流れた。

その中に、一際目を引く文字が浮かぶ。

タルピオット〈樹海村！〉

このコメントが皮切りになったかの如《ごと》く、次から次へ「樹海村」について質問の書き込みが乱発された。が、最初に描き込んだタルピオットからの答えはない。

『樹海村ってなに？　誰か教えてよ……』

その場から逃れるかのように、アキナが数歩後ずさる。画角が変わり、彼女の背後に、大きく地面が盛り上がっている一角が映り込んだ。立っている位置から距離にして十数歩ほど離れているように感じられた。

全体を草や苔がみっしりと覆っているが、一部がスロープ状になっており、人が容易に登れるような雰囲気がある。

周りをキョロキョロ見回していたアキナがその存在に気付く。ここから逃れたい一心か、それとも見晴らしのよい場所へ行きたいのか分からないが、彼女は斜面に近づくと怖々とした様子で登り始めた。

スロープを昇りきった先、もうひとつの土の盛り上がりがカメラに捉えられた。

瘤《こぶ》のようなそれは、人ひとりが寝転べそうな広さがある。その周りを木々が取り囲むように数本生えていた。いや、それだけではなく、人工的な——人の手が入っていることを示唆する痕跡も多数散見される。
全体的に何らかの意図を持って造られた〈場〉の雰囲気が色濃く漂っていた。
少女の心拍数が上がっていく。
『なにこれ……⁉』
アキナの唇から疑問が漏れ出した。
同じ疑いを持っているのか、視聴者たちの書き込みもヒートアップしていく。
不意にアキナが微かに肩をすくめた。
後ろに何かの気配でも感じたのか、カメラごと背後を振り返る。
グルリと回る映像。
その途中に、何かが映った。
人の形をしていた。
薄墨のような、輪郭のハッキリしない、蠢《うごめ》く人の姿がひとつ、そこにいた。
カメラ越し、インターネット越しにも、見えた。
その存在に気付いていないのか、アキナはカメラを乱暴に左右に振る。
いや、多分、他の視聴者たちも気付いていない。多分、気付いたのは少女だけだ。
ジーニー〈逃げて〉

様々な視聴者コメントの中に差し込まれた、逃げての文言。言葉の意味を理解できないのか、アキナは小首を傾《かし》げる。

ジーニー〈逃げて〉

連投される警告のようなコメント。

ジーニー〈逃げて〉
ジーニー〈逃げて〉
ジーニー〈今すぐ逃げて〉

アキナの顔色がはっきり変わった。

焦《あせ》るような手つきで腕に着けていたＧＰＳをもぎ取り、視線を落とす。

彼女の目が大きく見開かれた。

もどかしげな手でポケットから方位磁針《コンパス》を取り出す。が、アキナは何も言わない。ただ、身を固くした様子が画面越しに伝わってきた。

コンパスが効いていないであろうことは、誰の目にも明白だった。

ド腐れゾンビ〈え……〉
ラジオヘッド〈マジ???〉

アキナは自分の腰から伸びる赤いテープを握りしめ、振り返った。切れていない。確かにそこからは離れた場所へ伸びている。繋がっている。最悪の事態にはならなそうだ。が、樹海内にいる彼女にとって切迫した事態が続いていることに変わりはない。

遙《はる》か後方から伸びるテープを引っ張りながら、アキナの足が早まっていく。我を忘れたように、ただただテープを辿る。

さきほどの、木の根に抱かれた巨石が現れた。

唐突にカメラが切り替わると同時に、彼女の声が漏れる。

『……え?』

アキナの戸惑う視線をなぞるように、レンズが徐々に上がっていく。

岩の上に生えた木を背景に、酷《ひど》く傷《いた》み、汚れたスニーカーが映った。

次に、泥だらけでボロボロになった、アースカラーのボトムとシャツ。

（さっきの）

画面を見詰める少女は内心で呻《うめ》いた。樹海内を彷徨《さまよ》っていた男と同じ服だ。ただ、どうしてなのか姿全体が長い年月が過ぎたような印象を受ける。

赤いテープは、その人の形をしたものに絡みついていた。

狼狽《うろた》えながら、アキナが自身の手から伸びるテープの行方を探る。

テープの行く先は、アースカラーの服を着た人物の、土気色したその手に繋がっていた。

ヒュウッ、ヒュウッと風を切るような音が聞こえる。アキナの呼吸音だろうか。

更に映像は上昇を続ける。

頭があるべき場所に、丸いものが映った。

赤黒い。いや、すでにそれも越えた黒に近い紫の、丸いもの。

熟しすぎて膨れ上がった果実を思わせる、腐敗した人の頭部が、そこにあった。

首元にはボロボロのロープとテープが縒《よ》り合わさるが如く絡みつき、更にずっと上の方へ伸びている。

木には、傷んだ首吊《くびつ》り遺体が、ぶら下がっていた。

不意を突くように内カメラへ切り替わる。

大きく口を開いたアキナの顔があった。

自撮り棒を強く握りしめているからか、カメラ切り替えボタンが意図せず押されたのだ。

今、自身が眺めている光景が信じられない、そう言いたげな表情を浮かべていた。

一瞬、映像がブラックアウトし、また外カメラへ変わる。

呼吸音が一瞬だけ、止まった。

木からぶら下がった男の身体が、痙攣《けいれん》するかのように動いた。

音もなく、ロープが切れる。

赤いテープを身体中に絡みつかせながら、男の身体がカメラの方へ——アキナがいる方向へ降ってくる。

言葉にならない絶叫が、ヘッドホンのスピーカーから轟《とどろ》き渡った。

音割れした叫び、荒い呼吸が続く中、映像が動き始める。

動画は上下左右に激しく揺れている。アキナは岩から滑り降りたようだ。

もうテープを辿ることも、コンパスを確かめることもせぬまま、アキナは走っている。

恐慌状態の彼女は、ただひたすらその場から逃れようとしていた。


ラジオヘッド〈おい、これ、どーいうことだよ!〉

画面上に流れる無機質なフォントは、目の前で起きている出来事と乖離《かいり》して見えた。

いつしか、時々映像が止まったり、ノイズが入ったりを繰り返すようになった。フレームレートそのものが不安定になっている。

ついに画面が動かなくなった。

そこには、大きく目を見開いたアキナの顔が映し出されていた。

何を見ているのか。何に追いかけられているのか。フリーズしたままの画面では、何も分からない。読み取れない。

いきなり画像が動きだし、カメラが地面に落ちた。

横倒しになったフレームの中、少し離れた地面の上へ投げ出されるように二本の足が伸びている。爪先を上にしたトレッキングシューズはアキナのものか。だとしたら、彼女は尻餅でもついているのだろうか。

何かから逃れるかのように両足は繰り返し地面を蹴る。が、空転しているだけで意味を成さない。その場から動けないでいる。

もう彼女の呼吸も、叫びも、何も聞こえない。無音だ。

ド腐れゾンビ〈え……〉
タルピオット〈これ、マジやばくない?〉

書き込みとほぼ同時に、カメラが動いた。

誰かが拾い上げたように、レンズがゆったり上がっていく。それとシンクロするように、映像内にデジタルノイズが繰り返される。

アキナではない。

彼女の足は動くことなく、ずっとフレーム内に捉えられている。

撮影スタッフのような第三者がいるのか。

いや、カメラマンがいた様子はない。どう見ても単独での配信だった。

では、今、カメラを握っているのは、誰だ。

映像はそのまま上昇を続ける。アキナのものらしき足がレンズから外れた。森の木々を舐《な》めるように下から上へ映し続け、最後はそのまま空に向けられて――映像は切断された。

ピル男〈おい、今の誰だよ⁉〉

誰も答えない。答えられない。

あれだけ投稿されていたコメント欄の動きが止まった。


(だから、逃げて、って……)

薄暗い部屋の中で、ヘッドホンをした少女がパソコンのキーボードから指を離す。

まだ幼さを残した顔をした彼女の名前は、天沢響《あまざわひびき》。

ハンドルネームを、ジーニー、と言う。ランプの魔神と同じ名前だ。

遠くから渡る風が木々を揺らす音と共に、彼女の後ろにある壁に、複数の黒い影が蠢いた。それは木の枝の影にとてもよく似ていた。

第三章　家族 ―― 天沢 響

知らぬうちに日が沈みかけていた。部屋の中の暗がりが色濃くなっている。

響はヘッドホンを耳から外し、首に掛けた。ブラウザを一度閉じ、大きく息を吐く。

遠くから、気の早い蜩《ひぐらし》の鳴き声が微《かす》かに聞こえてきた。

瞼《まぶた》を閉じると、ジンと目の奥に軽い痛みが走った。

（……富士樹海、青木ヶ原樹海）

さっきまで目の前で流されていた配信を振り返る。

実は動画が始まったときから、悪寒に似た感覚が背中に張り付いていた。

樹海入り口から進むごとにそれは強まっていった。

ザックを背負った男が現れたとき、異様なほど全身に鳥肌が立った。

アレは違う。この世の存在ではなかった。それも多分、ずっとずっと昔、自分がまだ幼い頃に死んでいる人間だ。

映像を通じて、脳に向かってダイレクトに男の思念の一部が伝わってきた。出られない。樹海から出られない。生きるよりつらい。堂々巡りだ。何年歩けば良いんだ、と。

だから〈追いかけちゃダメ〉だと書き込んだ。

でも、誰も本気に取ってくれなかった。

(いつもそう)

響は思い出す。

小学校へ上がる前から、彼女の目には常ならぬ存在が映っていた。

道端に蹲《うずくま》る、頭が潰れた女の人。

電柱の影からそっと白い腕だけを出して、おいでおいでをしている何か。

火事で子供が二人死んだ家の跡地には、黒焦《こ》げの小さな二つの影が寄り添うようにして佇《たたず》んでいる。

綺麗《きれい》な割に人が入らないマンションの下にある地面から、無数の鼠色《ねずみいろ》の腕が屋上へ向けてザァッと伸びては、何かを摑《つか》んで地面に沈むのを幾度か見たこともある。それを目撃した数日後には、決まってそのマンションから飛び降りが起こった。

それらの中に、時々だが響の身体に触れてくるものがいる。

途端に全身の体温が奪われ、歯の根も合わないほど震えが来る。そしてその後、高熱を出した。体力を、命の欠片を奪われたようだと幼心に感じたことを覚えている。

あるいは、発作を起こしたように奇声を上げながら白目を剝《む》き、その場に昏倒することも多々あった。

その様子を目《ま》の当たりにした人たちは、腫れ物に触れるように響を扱うようになる。また、口さがない人間からは陰口を叩《たた》かれた。

「ウソつき」「周りの人間の気を引こうとしている」「あの子は寂しい子だ」と。

だから、彼女の口数は自然に減った。加えて、そういう類いのものが少しでも見えたら可能な限り避ける術《すべ》も身に付けた。当然だろう。

この頃から響は、人間よりも動物や虫のような、物言わぬ生き物たちと過ごすことを余計に好むようになった。

動物や虫は、人間の言葉を持たぬ代わりに、優しい。

彼らから伝わってくる波のような独特の──人間とは違う──感情らしきものは、彼女の本質を理解しているようでもあり、またそのつらい心を癒やしてくれる。

周りの人間たちから伝わる負のエネルギーに囲まれるくらいなら、どこにも出掛けず、ただ家の中や庭でそれ以外の存在といたい、というのが幼い彼女の本音だった。

しかし、子供の頃は幼なじみの家であるお寺に、どうしても行かなくてはならないことがままあった。三つ年上の姉に強制的に連れて行かれるのだ。

門まで行くと、その前にいつも薄墨のような色をした人の形をしたものたちがたむろっていた。姉に訴えても彼女の目には一切見えることはなく、逆に叱られるのが常だった。

「うるさいなぁ、響は。ウソばっかり。どうでもいいから行くよ」

姉に引きずられるように手を引かれ、それらへ近づく羽目になる。

そこにいるものは硫黄《いおう》のような悪臭を放っていることが多く、鼻が痛くなった。仕方なくいつも息を止めて足早に駆け抜けるのが癖になった。門を越えたらおかしなものはひとつも見えなくなり、とても落ち着いた気持ちになることを知っているから、なんとか我慢出来たに過ぎない。

何度か幼なじみのお父さんである住職に、自分が見ているものたちの話と、どうしてお寺の中にそれらが入ってこられないのかを訊《き》いたことがある。

他の大人や姉と違い、住職は真剣に耳を傾《かたむ》け、質問に答えてくれた。

「寺の外から悪いものは入ってこられんよ。きちんと拝んでいるから。でもここにいる仏さんに救って欲しくて、門の外に集まるんだ。夜は特に多くなる。仏さんは慈悲深いからなぁ。アイツらも頼ってくるんだよ」

本当にそうかと訝《いぶか》しげな顔を浮かべていると、住職はカラカラと笑った。

「どっちにしても、気にしたらいかん。自身を、気を強く持て。そうしたら、本当の意味で気の強い人間になれる。そうしたら悪いものは寄ってこん」

可能な限り、助言通りに彼女は過ごすようになった。弱気になることもあったけれど、出来るだけ弱音を吐かないようにした。そのお陰で、随分日常生活が過ごしやすくなったように思う。それでも厭《いや》なものは見続けていたのだが。

だが、あるときを境に、自身を取り巻く環境が一変した。

それは高校二年生のときの学校行事に端を発する。

修学旅行である。

これまでの経験から、行く先々で得体の知れないものを見ることを響は自覚していた。歳を重ねるごとに見えたものを無視し、なかったことにする術《すべ》を得ていたが、不意打ちのような発作やその他の物理的な影響までは回避できない。

だから何泊にも渡る修学旅行や林間学校には行かないと、自分で決めていた

しかし、高校時代の友人――親友であるクラスメートからどうしても一緒に行きたいと請われた。

「ひーちゃんの事情は知っているつもりだよ。旅行は無理だ、って。でも、高校の修学旅行は一生の思い出になるから。私はひーちゃんとどうしても行きたい」

行く先は京都である。

魔都とすら称される土地を訪れるということは、自ら虎の尾を踏みに行くようなものだ。拒否の姿勢で言葉を濁しても、親友は一歩も引かない。

諦めた。情にほだされた。今回だけ、特別に修学旅行へ参加する、と約束した。幼なじみのお寺に小さなお札を作って貰《もら》って、万全を期したつもりだった。

そのお陰もあってか、そこまで厭な目には遭わなかった。

京の風情も楽しめたし、親友が食べたがった抹茶のパフェも堪能《たんのう》した。

ところが、京都盆地の北にある深泥池を訪れたときだ。

みぞろがいけ、あるいは、みどろがいけ。読み方は二つあり、日本の節分行事発祥の地にある池だ。だが、近年は心霊スポットとして有名な場所となった。

〈真夜中、タクシーの運転手が若い女性を乗せると、深泥池へ行ってくれと言う。こんな時間にあんな場所へと首を捻《ひね》りながら池に着くと、後部座席の女性は姿を消しており、シートはぐっしょりと濡《ぬ》れていた。だから、京都のタクシー運転手は夜中に深泥池に行く客は乗せないという――〉

ありがちな怪談であるが、心霊スポットマニアたちはこぞって深泥池を目指した。

そんな人間が集えば、曰《いわ》くの全くない土地でもそういった〈場〉になる。

よからぬものが呼び寄せられるように集まってきて、池周辺に留まるようになってしまったのだ。だから、少しでも勘の良い人間は池の水面に、近くの路上に何かを見る。見てしまう。

響のような人間からすれば避けるべき観光地であった。が、ガイドによってクラス全体が案内されるとなれば、そうも言ってられない。

心を強く保ち、出来るだけ池に近づかないように努めようと彼女は決めた。

深泥池に到着したのはまだ夕刻の早い段階であったが、垂れ込める分厚い雲のせいで幾分暮れるのが早く、すでに辺りは薄暗くなり始めていた。

進まぬ気持ちでバスから降り立った瞬間、響の足下は定まらなくなった。まるで地面がスポンジのようだ。吹く風には生臭さと硫黄の臭いが微かに混じっている。

とてもまともに立っていられない。身体全体がぐらつく。

心配して傍《そば》に寄り添ってくれた親友に、何か伝えようと顔を上げたときだった。

親友の肩越しに、池が覗《のぞ》いた。

曇天を映す昏《くら》い鏡のような水面が、つと乱れる。

池の水が沸騰したのかと、一瞬思うほどだった。

しかし、違った。

水面を乱したのは、無数の顔だった。

老若男女、様々な顔面が池の底から次々に浮いて来ては、泡のように消えていく。

体温が一気に下がった。貧血のような目眩《めまい》が始まる。

響はそこから逃げようとした。しかし、足が動かない。

気がつくと、池の縁に無数の何かが次から次に這《は》い上がろうとしていた。

それらは泥色に膨らんだ、人の形をしていた。

髪も、服もない。泥を捏《こ》ね上げて作ったような不格好な何か。

水を吸ってグズグズに崩れ始めたような手足で、地面を掻《か》きながら躙《にじ》り寄ってくる。

そららは時々四足歩行の爬虫類《はちゅうるい》のように顔を上げて、周りを睨《ね》め付けてきた。元は眼球があったであろう洞《うろ》のような二つの穴を、池の近くに立つ生者たちに向けていた。

ただし、クラスメートも、ガイドも、他の観光客も、誰も気付いていない。

響も、ただそれを見詰めるしか出来ない。息が詰まる。吸えない。吐けない。

来た。すぐそこに。異臭が強くなる。でも、動けない。その場に足が貼り付いたようだ。

泥なのか苔《こけ》なのか、水草に塗《まみ》れているのか。酷《ひど》く汚れた手が親友の足首を握ろうとしたとき、視界がキュッと縮まり、そのまま真っ黒な世界へ、墜《お》ちた。

気がつくと、ホテルの一室に寝かされている。教師たちの部屋だった。

近くにいた女性教諭が優しげな声を掛けてくる。が、反するように響から距離を空《あ》けて座っていた。こちらを警戒していることがありありと伝わった。

起き上がると、制服ではなく、旅館の浴衣へ着替えさせられていた。

ああ、また私は何かをしたのだ。すぐに理解出来てしまう。

旅行から戻った後、響は無遠慮なクラスメートの言葉から全容を知り得た。

深泥池で自分が発作を起こしたこと。発作の最中、汚れるのも構わず地面に這いつくばり、周囲の人間たちの足下を両手で払い続けたこと。それも、獣のような叫び声を上げながら——。

やはり天沢は異常だ。アイツはおかしい人間だ、普通じゃない。そう口々に囁《ささや》いては、誰しも響を避けるようになった。

──唯一の友人、親友だった彼女を含めて。

広められた噂《うわさ》のせいか、校外でも後ろ指をさされ、白眼視され続けた。

外に出られなくなったのは、それから間もなくだった。

当然、学校へも行けない。玄関から出ようとすると、足が竦《すく》むのだから。

自ら退学したのは響なりの無言の抵抗だったのかも知れない。家の者は泣いたし、姉に至っては恥だと怒った。

以来、アルバイトもせずに引きこもりとなった。

それが一番誰にも迷惑を掛けないことだと分かったからだった。

それからさほど時間を置かず、響はある事件をネットの情報で知った。

二〇一四年。福岡県にある英彦山《ひこさん》で研修中の高校生三十人がおかしくなった、という事件だ。女子生徒が「死にたい」「殺してくれ」と叫んだり、高所から飛び降りようとしたりと大騒ぎになったらしいのだが、その原因は霊のせいだとまことしやかに囁かれた。

ところが「原因は集団ヒステリー」という識者の意見が、それを打ち消していった。

響は違うと思う。

自分が京都で見たようなものが、確かにそこにいたのだ。だから、その生徒たちも発作を起こしたのだ。

（分からない人には、分からない）

そう。姉にも、家族にも。幼なじみたちにも。学校や街の人たちにも。

今日の配信でも、誰も自分の言葉に耳を傾けてくれなかった。

だから、あんなことになったのだ。

樹海動画の配信途中から、木々の間に何かが見え隠れするようになっていた。奥へ進むごとに、それは明瞭さを増し、ハッキリとこの目に映った。

人の形をした者や、幽《かす》かな影のような者たちが、アキナと自分を――いや、ネットを通じて見ている側の全てに対し、射るような視線を向けていたはずだ。もちろん、当人たちは気付いていないだろうが、響には分かる。

それは、退学する前、学校の人間や近所の人間から向けられた、針で刺されるような悪意の視線にそっくりだった。

（とても厭な、目）

心の奥底がチクリと痛む。それは、自身の過去を思い出したせいであり、また、ライブ配信していたアキナを救えなかったせいでもあった。そして――。

その時、響の目が何かを捉えた。

スリープ状態になり、真っ黒になったモニタの端で何かが動いている。

白い、人影のような形をしていた。映り込んだ自分の顔ではない。では誰だ。

思わず振り返り、ほっとため息を落とす。

部屋の隅にひとりの女性が佇んでいる。

落ち着いた大人の雰囲気を纏《まと》っているが、丸顔であどけなさを残した顔立ちをしている。

その女性は、どことなく響に似ていた。

女性の口が僅《わず》かに動く。

「響、いい加減にしときなさい」

親が子を叱るような調子だった。

響は目を伏せ、首に掛けたヘッドホンを両手で握りしめる。

(いい加減にしときなさい、って)

何か言い返したくて、もう一度顔を上げた。

もう、母親の姿はそこになかった。


響はパソコンの前を離れ、自室を出た。

(あ。そうだった)

首に掛けっぱなしだったヘッドホンを耳に着け直した。

一階へ下りると、炊きあがったご飯と淹《い》れ立てのお茶の香りが漂っている。

響は顔を顰《しか》める。

嫌いな匂いじゃないけれど、身体が拒否をする。学校を辞めてから、きちんと整えられた温かな食事が喉を通りづらくなっていた。食欲そのものが消えているわけではなく、ただ幸せそうな食卓そのものの存在を受け付けられなくなっていた。

居間に入ると、隣に続く仏間から上品な老婆がにこやかに顔を覗かせる。

天沢唯子《ゆいこ》。響にとって父方の祖母である。

「響、ご飯できてるよ」

ヘッドホン越しなので、くぐもって聞こえた。

(仏壇にご飯を上げてたのか)

響は台所へちらと視線を向ける。居間は仏間だけではなく、台所とも繋《つな》がっている。

唯子は朝と晩、決まった時間になると仏壇の前に炊きたてのご飯とお茶を供える。いつもの行動、祖母のルーティンだ。

祖母と目も合わさず、響は無言でその横を通り抜けた。

「響」

案じるような祖母の声と表情をかわしながら、台所へ入る。

これ見よがしのヘッドホンは、話しかけないでという意思表示であることを、祖母はなかなか覚えてくれない。

口を開けば「響、大丈夫?」「響、今度ね」「響」「響」……自分に対する気遣いの言葉そのものが気にくわなかった。腫れ物を扱うような様子はどこか卑屈で、こちらは逆に居心地が悪くなる。自主退学したときも、祖母はひとしきり泣いてから、次に沢山の慰めの言葉を掛けてくれたが、逆に窘《たしな》めるような態度を取られた方がマシだとすら思う。

（どうせ、何も信じない癖に）

祖母に見たものや感じたものを訴えれば、頷《うなず》きはする。しかし、ただそれだけだ。次に哀れみのような視線を向けて来て、当たり障《さわ》りがないことしか言わない。それが悲しい。

祖母の目を無視しながら水屋に載せられた大きな籠《かご》を下ろし、幾つかのスナック菓子やチョコレート菓子の袋をチョイスした後、再び階段へ戻る。

そのとき、少し離れたところからこちらを睨《にら》む顔が見えた。

三つ年上の姉、鳴《めい》だった。

姉妹なのに自分と似ているようで似ていない。顔つきの方向性は近いのだが、ただそれだけだ。多分、母親より父親寄りなのだろう。

疎《うと》むような姉の視線に、内心で苦い笑いを浮かべる。

（おばあちゃんの対応より、こっちの態度の方がまだマシだよね）

大学生の姉はこの家から学校へ通っている。最初は遠い大学に入って、祖母の家を出ると言い張っていたが、結局それをやめた。

「私がいなくなると、この家も大変だから」と。

そのとき、家や家族を言い訳に使うな、とうんざりしたことを覚えている。

響が人に見えない、感じられない何かを感知出来ることを全く信じていない姉は、こちらをよく「嘘つき」と詰《なじ》った。それに、響がことあるごとに発作を起こすのが厭で厭で堪《たま》らない、気持ち悪いと人に漏らすのも聞いた。

それなのに「私がいなくなると」なんてよく言えたものだ。

考えてみれば、響が小学校へ上がるか上がらないかの頃には、すでに姉妹の関係はこうなっていたと記憶している。その頃の姉は、近くに住む三人の幼なじみに対して、響のことが恥ずかしくて仕方がないと祖母によく泣きついた。

「お母さんも、響も、同じくらい嫌い」

いつも最後はそんな言葉で終わっていたように思う。

姉も、祖母もある意味、自分勝手である。そう響は感じている。

(でも、お母さんがいなかったら、大変だったのに)

母が父を喪《うしな》ってから、姉と母、自分含めた三人は父方の、天沢の家を頼った。何故《なぜ》なら、母方の両親や妹はすでに亡くなっており、親しい親族も皆無で、他に寄る辺がなかったから、と訊いた覚えがある。幼かった響に父の記憶は無い。最初の家族の記憶は、母と姉だけだった。だから父の実家へ行くと聞いたとき、とても不安だった。姉はかろうじて父のことを記憶しており、とても優しいパパだったと教えてくれた。けれど、それがやけに羨《うらや》ましかった。でも、私が生まれた後に父は亡くなったはずだから、姉は三歳になったかならない頃だ。明確に覚えているはずもなく、本当は父に関する幽《かす》かな記憶、薄い印象しか残っていないだろう。それでも、羨ましいことに変わりはない。

その天沢の家は、静岡県北東部、富士の裾野からほど近い住宅地にある。祖父が一念発起して建てたものである。

二階建てにしたのは、ひとり息子である響の父親のために、良い外観の建屋と広い部屋を設《しつら》えようとしたからだと祖母に聞いた。富士裾野にあった小さな村出身の祖父は、自身の出自から生じる周囲へのコンプレックスで、世間体をかなり気にする性格だったと祖母がよく話していた。それもひとつの要因だろう。

母が子供二人を連れてこの実家を頼ったとき、部屋数だけはあるからと受け入れてくれた祖父と祖母には、感謝しかない。彼らから聞く父の話は、本当に嬉《うれ》しかった。

だが、その後、祖父が突然死した。青天の霹靂《へきれき》だった。

遺《のこ》された祖母は義理の娘の子育てサポートに苦労したことだろう。

幾年も年月を重ねた後、姉妹の内のひとりはさして目立った問題もなく成長し、残ったもうひとりは世間様から見ると真っ当に育たなかった。

（仕方ないのかな？）

薄く自嘲《じちょう》しながら、響は部屋へ戻り、電灯のスイッチを指先で弾《はじ》くように点《つ》けた。

本棚とカラーボックス、木製ブックシェルフが真っ先に目に入る。それらと直角に並んだ机の上にはデスクトップパソコンが設置され、周囲には乱雑にいろいろなものが飾られていた。ドール。サソリのイラストが入ったフレーム。ドリームキャッチャー。鉱石類。各種オカルトグッズ……。

十七歳の部屋にそぐわないものが多数収められている。

対する姉、鳴の部屋は年相応のインテリアや小物で溢《あふ》れており、響の部屋とは真逆だ。全部がちぐはぐだと、響は真顔で考える。

古びた二階建ての中に、仏間や老人の部屋、若い女性が飾り付けた部屋、ニートが引きこもる部屋が混在しているのだから。

今の天沢家を端的に表していると、響は口の端を少しだけ上げながら、デスクの前にある椅子に腰掛ける。

(――でも、お姉ちゃんやおばあちゃんの言いたいことも分かる。私がこんなだから。素直に、きちんと、伝えられたら)

もちろん、母親が自分を心配していることも。響はひとつ、息を吐いた。

パソコンをスリープ状態から復帰させ、マウスを操作した。ヘッドホンから音楽が流れ始める。ブライアン・イーノのアンビエントなサウンドが両耳に満ちた。

画面の中のブラウザには複数のタブが開かれていた。

動画配信、カメラのフリー素材、おすすめウェブアプリケーション、メーラーのページ。

そして、富士樹海にまつわる都市伝説――。

〈樹海に眠る魂の行方〉そう題されたコンテンツがある。

某農業大学生の誰かが書いた手記と言った趣だが、やけに手慣れた感じの文体だ。そこが微妙なフィクション臭の源になっている。

とはいえ、響にとっては興味深い部分が幾つもあった。

例えば〈教授たちと害獣の生態研究で入った樹海内部に仕掛けた罠《わな》。それに掛かった鹿が、何者かに切断されて死んでいた〉〈切断面は鋭利な刃物を使った痕跡がある〉〈場所はコンパスがないと戻れないような樹海深部〉〈こんなところなのに人の存在を感じ取った〉等、枚挙に暇《いとま》はない。

冷静に考えれば、同行していた誰かの仕業とする方が自然だ。しかし著者はそう考えない。逆にそれらの可能性をわざと除外し、ある都市伝説へ繋げている。

〈樹海の奥には自殺者が作った村があるという噂を耳にしたことがある〉

鹿の肉を切り裂いたのは、この自殺者村の誰かではないか、と。

（……村）

あの動画配信に寄せられたコメントの中に、樹海村の名があった。

書き込んだのは常連のタルピオットだった。

（あの人は、この自殺者村の都市伝説のことを言ったのだろうか）

思考の合間、下から持ってきた菓子を幾つか口にする。大量生産の味がした。でも今はこういう誰の舌にも合うような食べ物でいい。団欒《だんらん》の食卓なんて要らない。カロリーさえ摂取できれば問題ない。

再びブラウザへ視線を戻した瞬間、乱暴にヘッドホンを外された。

驚きつつ振り向くと、姉の鳴が立っている。

睨み付けるような顔でこちらを見下ろしていた。

「なに……？」

「さっきから呼んでるでしょッ」

些《いささ》か怒気を孕《はら》んでいる口調だ。見れば部屋のドアが半開きになっていた。姉のことだ。何度かノックしても何の反応もなかったから、勝手に入ってきたのだろう。

黙ったまま見上げていると、姉が苛々《いらいら》した口調で話し出す。

「明日の引っ越し、あんたも来いって」

引っ越し？　樹海村のことを考えていたから、思考の切り替えが上手くいかない。

「輝《てる》が」

輝。幼なじみの輝君のことか。ああ、輝君が引っ越しするのか。

幾ら来い、と誘われても、行きたくない。外に出たくない。出たら、きっと、また見る。

見てしまう。あれらを。それに。

首を振っても、姉は納得しない。

「二人の結婚祝いも兼ねてるんだからね、考えておいてよ」

そこまで一気に言うと、姉は部屋を出ていった。

結婚。二人。輝君と……ああ、美優《みゆ》ちゃん。輝と姉より二つ年上の綺麗な子。

そう言えばそんな話を姉がしていたっけ。あの二人が結婚することを。あまり興味がなかったから記憶の片隅へ追いやっていた。

響はボンヤリ思い浮かべる。結婚、イコール大人、そんなイメージを。

自身は十七歳だが、あと少ししたら十八歳を迎える。姉も同じくで、数ヶ月後には二十一歳だ。

(大人、か)

自分が大人になったイメージが、響には浮かばない。

具体的なビジョンとしても、理想としての姿としても、何も一切出てこない。

僅かに頭を振って、パソコンの画面に視線を戻す。

ふと思い出した。姉が言っていた、輝の新居の場所だ。

調べてみようとマップを呼び出し、ストリートビューモードへ切り替える。

そのとき、また後ろから、母親の叱責が響いた。

「響、いい加減にしときなさい」

第四章　新居 ―― 天沢 鳴

立ち上ってくる草いきれが、無性に癪《しゃく》に障《さわ》った。

照りつける太陽が、服から露出した肌を刺すように灼《や》く。

日焼け止めを塗ってきたが、これだとあまり意味がないな、と鳴はため息を漏らす。

目の前には、鉄筋コンクリートの建物が聳《そび》えていた。

なだらかな傾斜地の上に建てられた建屋は、斜面に対し家を平行に保つために、下部はコンクリート基礎で一段持ち上げられている。言わば、変形した二階建てだ。道路側にある駐車場から向かって右側にある外階段を上った先が一階の玄関ポーチになっている。そこがリビングやキッチンのあるフロアで、その上にはもうワンフロアあった。

一階、二階共に道路に面する側には大きな窓とベランダが設《しつら》えられており、見晴らしも良さそうだ。元は何かの店舗だったものを改装した住宅と聞いているが、その名残だろう。

一階ベランダの真下は件《くだん》のコンクリート基礎であり、その一部に切り欠きがあった。屈んだ大人が通り抜けられそうな四角い穴で、それを塞ぐように古びた木材で蓋《ふた》が被《かぶ》せてある。空気の通り穴か、それともちょっとした物置代わりなのか。中身が見えないからどうにも分からない。

鳴はもう一度建物全体を眺めた。

（ふうん。輝が話していたのはこういうことか）

この物件を選んだ理由に関して、幼なじみの輝――阿久津《あくつ》輝はこんなことを言っていた。

「今度引っ越すところ、ちょっとした改装で店に出来そうなんだよな」

輝は、昔からアメリカンバイクのカスタムショップを持つという夢を追っていた。

元々富士周辺はバイカー主催のバイクのカスタムショップがよく行われている。だから、バイカーたちのメッカともいえた。当然、輝もそれを知っており、趣味嗜好に反映されたことだろう。

また憧れの芸能人がバイク好きであり、その影響も多分に含まれた夢とも言えた。

ところが、高校を卒業して一年くらい過ぎたとき、彼は突然「カスタムショップはやめた。地元でカフェを開きたい」と皆に宣言した。

「バイカーたちが立ち寄れるような、クールなカフェ。もちろん富士の湧水を使った拘《こだわ》りの珈琲を出すし、地産地消のフードメニューも」

学生時代からのアルバイトで資金はある程度貯《た》めていたらしい。とはいえ、予定された金額には全く足りないことは明白であり、数年別の場所で働き、更に開店の軍資金を増やす算段だという。

オートバイのカスタムショップからカフェに夢が切り替わった理由は、彼が選んだ女性のせいだとすぐに分かった。

美優だ。

元々、輝や近所のお寺さんの息子である真二郎《しんじろう》らと共に、自分たち姉妹と幼なじみだった子で、真二郎と同じ歳だから、二歳上になる。

小さな頃から可愛かったが、今はどちらかというとほっそりした美人になった。

料理が得意で、以前からカフェをやってみたいと常々口にしていたから、輝が宗旨替えをするのも分からないでもない。

（……わたしが何を言っても聞いてくれなかったのに、な）

建物から目を逸《そ》らすように、鳴は再び駐車場に停められた白いトラックへ向かう。

駐車場と言っても道路から直結の地面が剝《む》き出しの広場で、所々に草が生い茂っている。

手入れをすれば数台の車は停められそうだが、今は二台か三台が関の山だろう。

草を避けるように停められたトラックの荷台には段ボールが積まれており、それぞれ「本」「工具」「服」「食器」など中身がマジックで書かれていた。輝が美優と二人で新しい家庭を持つことが、否応なく実感として伝わって来る。

（……早く済ませないと）

気を取り直し、箱を降ろそうと腕を伸ばした。が、大きさの割に重い。四苦八苦していると横から日に焼けた腕が伸びてきて、箱の片方を摑《つか》む。

「いいよ、無理すんなって」

浅黒く精悍《せいかん》な顔立ちの青年が笑っていた。

輝だった。笑顔を浮かべながら手伝ってくれる。

タオルを巻いた額の下、彼の顔は汗で濡《ぬ》れて輝いていた。以前と変わらず笑顔が眩《まぶ》しい。

そのせいか、昔のように軽口を叩《たた》いてしまう。

「なにかっこつけてんの」

「え？　いや、俺、もともとかっこいいだろ」

そうだよ。アンタはかっこいいよ。いろんな意味でさ。昔も、今も――鳴は心の中で呟《つぶや》きながら、別の言葉で言い返した。

「ほんと、そういうことだよねー」

「なにがだよ」

飄々《ひょうひょう》と答えながら、輝が段ボールを持ち上げる。その左手の薬指には、銀色のリングが輝いていた。

(マリッジリング、だよね。美優とお揃《そろ》いの)

強《こわ》ばりそうな顔をごまかすように、鳴は大きく笑みを浮かべた。

「じゃ、イケメン。焼き肉ゴチで！」

輝が大仰にまん丸く目を剝いて見せる。

「結婚祝いでお前のおごりじゃないの？」

二人は屈託なく笑い合いながら、やり取りを続ける。

「お寿司もいいねー」

「いや、俺、そんな稼ぎないって」

笑顔を崩すことなく、鳴は内心で独りごちる。

（カフェの、美優のために貯金もしなくちゃならないから、だよね）

こちらの考えていることなどつゆとも知らない相手に向かって、鰻《うなぎ》もいい、と続ける。

「どんどん増えるじゃん！」

「お腹空《す》いてきたなー」

和気藹々《あいあい》とした空気の中、二人で段ボールを運んでいると、どこからか視線を感じた。

辿《たど》るように顔を上げると、一段高くなった一階の窓に立つ人の姿が目に入る。

美優だ。

冷ややかな表情でこちらを見詰めていたが、鳴と目が合った瞬間、部屋の奥へ隠れるように引っ込む。

横にいる輝に目を向けた。彼は美優のことに全く気付いていないようだった。

輝と荷物を屋内へ運びながら、鳴はふと思い出す。

（……響は？）

朝、連れてきたのはいいのだが、それから妹の姿を見ていない。ちゃんと引っ越しの手伝いをしているのか、甚《はなは》だ疑問だ。

昨日は行きたくないと首を振っていた。でも、夜中に突然「連れて行って」と自分から頼んで来たのだ。意外さに驚いて理由を訊《き》いたが、口ごもって何も答えないので分からなかった。ただの心変わりか。それとも何か事情があるのか。どちらにせよ輝から呼ばれていたのだから、渡りに船だと了承した。

しかし、蓋を開ければ引っ越しを手伝うどころか、どこに行ったのか姿すら見せない。

（また、何かやらかしそうだな）

薄くため息を漏らす。響のことだ。ありもしないものがいた！　とか騒ぎ出すかも知れない。輝も真二郎も大人だから付き合ってくれるけれど、美優はあからさまな拒絶を顔に出す。そういう類いの話が嫌いというだけではなく、どちらかというと自分たち姉妹の存在そのものが好ましくないのだ。

（やっぱ、連れてくるんじゃなかったかな）

僅《わず》かに後悔しつつ、輝と荷物を持ち、目的の部屋へ向かう。一階のリビングに入ったとき、響の姿を見つけた。

ベランダに、背中を丸めて座り込んでいる。

さすがに、いつものようにヘッドホンはしていない。肩が動いているから、手で何かしているのだろうか。近づこうとしたとき、響の身体が固くなったのが伝わってきた。下の方へ視線を向けている。

その目の先を辿った。思わず小さく声が出そうになった。

ベランダの床に、一匹の黒っぽく艶《つや》のある虫が這《は》いずり回っている。ダンゴムシのような形で、手の薬指の先端くらいのサイズがあった。

先ほどの様子から鑑みて、響はこの虫で遊んでいたようだ。

（……何してんのよ、この子は）

輝に目配せして、足を止めて貰《もら》った。

「ね……なにしに来たの？」

妹の背中へ向けて、声を掛ける。だが、聞いていないのか、それとも意図的に無視をしているのか、何も答えない。

「アンタが来たい、って言ったんでしょ？」

響はようやく振り返った。険悪な空気が満ちる。

「いいって」

堪《たま》らず輝がフォローに入る。

「なんで、お前ら昔からそうなの？　妹なんだから仲良くすればいいじゃん」

「言うこと聞かないから……」

鳴の反論に対し、輝は困ったように笑う。

「仲良くしろよ」

小さな頃から輝は二人のことを知っている。だからこそ出てきた言葉なのだろうけれど、おいそれとその通りには出来ない。これまで、どれくらい響に迷惑を掛けられてきたか。家族ではない輝に分かるものか。

（そもそも、地元から出て行くのをやめたのだって）

響と家のためだ。妹を独りにしたら何をするか。その世話で、家はどれ程迷惑を被《こうむ》るか。自分がなんとかしなくては、どうしようもない。

（それに）

苦く笑う輝の横顔を、鳴は盗み見る。

チクリ、と胸の奥が痛んだ。同時に心に細波が立つ。

（ただの言い訳だ）

分かっている。自分が外へ出たかった理由は、ただ、輝から離れたかったから。でも、出来なかった。どんな形でも輝の傍《そば》にいたかった。家のためなんて、言い訳に過ぎない。

自分のことは、自分が一番分かっている。だから心の整理を付けるために、妹と家を理由にした。ただ、それだけのことだ。――でも。

「響！　ちゃんと働きなさいよ！」

自身の苛立《いらだ》ちを言葉に変えて妹にぶつけた後、鳴は少しだけ自己嫌悪に陥った。

「おいおい。お、そうだ。響、後から美味《おい》しいもん、ご馳走《ちそう》するから楽しみにしておけよ！」

朗らかな輝のフォローに余計に惨《みじ》めな気持ちになる。

耐えきれなくなった鳴は彼から視線を外した。そちらには仏頂面《ぶっちょうづら》のままこちらを見詰める響が腰を下ろしている。

さっきまでいたはずの床の虫は、いつの間にか姿を消していた。


気持ちを切り替えるように、鳴は作業に没頭する。

そのお陰か、予定より少し早くほとんどの荷物を運び終えた。

運び残しがないことを確認し、最後の小さな荷物を手に振り返る。

ボンヤリ立つ響の姿が目に入った。

コンクリートの基礎部分、あの切り欠きの前だ。いつの間に外へ出てきたのだろう。

響はその切り欠きの蓋へ視線を向け、身を固くしている。

上から輝の声が聞こえてきた。

視線を上げると、美優と二人、ベランダから響を見下ろしていた。

「なに見てんの？」

輝が響に声を掛ける。しかし響は何も答えない。ただ、じっと蓋を見詰めている。

「……ん？　……ちょっと見てくるわ」

気になったのか、輝は階下へ行くことを美優に告げ、奥へ引っ込んだ。

「うん……。響、なんかあんの？」

輝に返事をしながら、美優も響に問いかけるが、やはり応《こた》えはない。

美優も部屋の奥へ姿を消した。少し間が空いた後、玄関から二人が出てきて、そのまま階段を下り基礎のところまでやって来る。

響が見詰めている方向へ輝が顔を向けた。

何だ？　と彼は首を傾《かし》げた。

鳴は荷物を手にしたまま三人へ近づいていく。そのとき、何か小さな音が聞こえた。

木が硬い物に繰り返しぶつかるような、乾いた音だ。

多分、出所は切り欠きの蓋からだろう。微かに揺れている。

眉《まゆ》を顰《しか》めつつ、美優は様子を見守っている。

蓋に向かって、輝が近づく。鳴の耳に、下手糞《へたくそ》な口笛のような音が入ってきた。それが蓋の隙間から出てくる風の音だと分かったのは、何故《なぜ》か分からない。

輝が両手で板を外した。音がやんだ。照り返す夏の日差しの跳ね返りが内部を照らす。

狭い空間に、いろいろな物が雑多な感じに放り込まれていた。

収納スペースとして使われていたようだ。

「どした？」

鳴は三人に声を掛ける。誰も口を開かない。

「お！　なんだこれ」

輝が嬉《うれ》しそうな声を上げながら、身をかがめて穴へ入っていく。

「え、ちょ……やめときなよ」

危ないよ、汚いよと言いたげな美優の声を無視して、輝の訝《いぶか》しげな声が響いた。

「え、なにここ」

次第に言葉の調子が不満げな物へ変わっていく。

「あー、なんだよ。こういうの、片付けておかねぇのかよ……」

独り言のような今更の文句だ。気をつけてねと美優が声を掛けるが、聞こえているのかいないのか、ここからでは分からない。

不安げな美優をよそに、輝は穴の中を探るのに夢中になっているようだ。

「うーわ、暗っ！　……ん？」

途中で輝の口調が変わった。

「……なんかある！」

お宝でも見つけたような弾《はず》んだ声色だ。何かを手に、輝は中から出てきた。

「これ持って」

彼は美優に何かを手渡した。

「汚なッ！　えーなにこれ……？」

色褪せた紫の風呂敷包みだった。

大きさは小ぶりの重箱三段分くらいか。布地が古いせいか、明るい日差しの下では紫地に入れられた白い模様が目立たない。じっくり目を凝らし、ようやくそれが家紋らしい、と分かった。

「お宝だよ、お宝！」

輝は美優の手から風呂敷包みを取り上げ、そのまま地面へ置いた。

「開けてみてよ」

輝が美優にふざけて軽口を叩く。しかし彼女は断った。

それはそうだと鳴は美優に共感する。あんな暗くて汚いところにいつからあったか分からない風呂敷包みなど、そうそう開けられるものか。どんな虫が這い出てこないとも言い切れないのだから。

それでも輝は諦めない。

「なんで？　開けてみてよ」

悪戯《いたずら》っ子のような輝の台詞に、美優も譲らない。

「なんで？」

「絶対、いいもの入ってるから」

「なんで？」

「札束だったらどうする？」

「だったら自分で開ければ？」

端から見れば痴話喧嘩《ちわげんか》か、仲良くやり取りしているだけにしか見えない、と鳴は密《ひそ》かにため息を漏らす。そこへ口を挟むのも馬鹿馬鹿しい。

繰り返される戯《ざ》れ言《ごと》の果て、文句を言いながら美優は風呂敷包みの前に膝《ひざ》をつく。そのまま怖々と結び目に手を掛けた。歳下の輝に対し、なんだかんだ甘いのが彼女らしい。

ところが、その結び目はなかなか緩まない。積み重なった埃《ほこり》が、薄い煙のようにもうもうと宙へ舞う。どれほど固く結わえられているのだろうか。手伝おうかと鳴が声を掛けかけたとき、美優が声を上げた。

「え……なんなの、これ……？」

いつの間にか開かれた風呂敷の中央に、真っ黒い長方形をした物体が姿を現した。

否。夏の日差しで影が濃く差しているせいで、そう見えたのかも知れない。

実際は風雪に晒《さら》されたかのように黒っぽく傷《いた》んだ木の箱である。

大きさは最初に見たときの印象と同じ、小ぶりの重箱が三段積みされたくらいだろう。いや、それよりもう少し小さく感じる。

ゴツゴツした表面に目を凝らせば、寄せ木細工の痕跡が認められる。複雑に嚙《か》み合った長方形や鍵型の接合面に沿って、収縮による溝が出来始めていた。また、所々に木の節があり、そこが歪《いびつ》に盛り上がっている。上部には横方向に一周、細い筋があった。そこが蓋らしい。

鳴の目の奥にジンと鈍い痛みが走った。夏の光と箱のコントラストのせいか。

鳴は目を細めつつ、美優が箱へ手を伸ばすのを見ていた。

「――ダメッ！」

美優の指が箱に届きかけたとき、夏の空気をつんざくような大声が響く。

三人が弾《はじ》かれたように後ろを振り向く。

そこには響がいた。存在を今の今まで忘れていた。

紙のように白い顔で、全身を瘧《おこり》のように震わせている。

「響。どした……？」

立ち上がりながら、美優が問いかける。輝も目を丸くして様子を窺《うかが》っている。

もちろん二人は幼なじみだ。響のおかしな言動を見たことはある。その度に「仕方ないよ」「そういうこともあるんだよ」とある一定の理解を示す努力をしてくれた。ただ、美優に限っては、途中で怒るパターンが多かったが。

しかしここまで狼狽《うろた》えて立ち尽くす響を目の当《ま》たりにしたのは、初めてではないか。

姉である鳴自身は、過去に何度もこんな響を見てきた。その原因のほとんどは、大体がありもしないものを目撃した、感じたことが原因だった。

（……またか）

自分はいい。でも、幼なじみが新居への引っ越しの最中、人を不安がらせるような態度を取るのには納得がいかない。が、注意するのもそろそろ飽きてきた。とはいえ、そう言ってもいられない。

硬い表情を崩さない響に向かって口を開き掛けたとき、美優の肩が小刻みに震え始めた。顔の血の気が失《う》せている。彼女は手で口元を押さえながら、新居へ向かって駆け出した。

その美優と擦《す》れ違うように、背の高い、長い金髪を後ろで結わえた男性がのんびりした空気を纏《まと》ってやって来る。優しげ、かつ派手目の風貌は、輝と真逆だ。

「ごめんごめん、遅れたわぁ……おおぉ、美優⁉」

幼なじみの鷲尾《わしお》真二郎だった。

おどけたように驚いて見せた彼は、走り去る美優の背中と、残された幼なじみたちの顔を見比べるように交互に見る。

「美優！」

輝がその後を追いかけ、走って行った。

真二郎が説明を求めるような目で見詰めてくるが、鳴は答える気になれなかった。

「……ま、とりあえず遅れてゴメン。引っ越しはどうなった?」

真二郎は鳴と響に頭を下げて、朗らかに笑った。

「ふぅん、家の下に入っていた、ねぇ……」

手にした長めの木の枝で自身の肩を叩きつつ、真二郎はじっと風呂敷と箱を仁王立ちで眺めている。

新居の裏庭に、五人は箱を取り囲んで集まっていた。

何となく人目が気になって、道路側から移動したのだ。

響以外の四人は、汚らしい箱を訝しげな目で見下ろしている。

「なにか、入ってんかな?」

真二郎が枝で箱を軽く突いた。

「やめなよ」

枝を奪いながら、響が硬い声で止めに入る。

(……アホらし……)

二人のやり取りに呆《あき》れつつ、鳴は嫌みを込めて訊《たず》ねる。

「……あー、始まった始まった。……今度はなに？」

「鳴」

諫《いさ》めるように輝がその名を呼んだ。昔からこのパターンだ。改めて彼が質問を投げ掛ける。

「……響、これなんなの？」

響が口を開きかけたとき、真二郎が声を上げた。

「お、これじゃん？」

自身のスマートフォンを皆に向けた。

「検索してはいけない呪いの箱……？」

画面の文字を輝が読み上げる。その下に箱の名前があった。

「……ことり、ばこ？」

聞き慣れない言葉を耳にした鳴の頭に、小鳥と箱のイメージが湧く。

しかし、その後に続く内容は不穏な言葉がひたすら連なっていた。

【コトリバコは、ネット掲示板での書き込みが元になり、広まった都市伝説。

二〇〇五年に投稿されてから、未《いま》だにネットで語り継がれている呪殺系怪談】

検索してコトリバコの怪談を読んだものは、気分が悪くなったり、体調を害したりする。だからこの箱について、検索してはいけない呪いの箱と称しているらしかった。

「……ね、真二郎。なんで突然、その怪談とこの箱が繋《つな》がるの？」

至極真っ当な鳴の問いに、真二郎はしたり顔で答えた。

「だって、これ、呪われそうな外見してんじゃん。それにお前らがビビってたし」

だから、〝呪い〟と〝箱〟で検索したら一番上にヒットしたのがコトリバコであった、と自慢げに笑みを浮かべている。

あまりの短絡さにため息も出ない。

「え、ちょっと待って。私、触っちゃったよ！」

真二郎の発言に重ねるようにして、美優が冗談めかして笑う。

「だったら、うちの寺でお祓《はら》いしてもらえばいいんじゃね？」

真二郎がふざけた口調で提案してきた。彼の実家は密教系の寺で、父親は住職を勤めている。檀家《だんか》も多く、ご利益があると有名だった。

「あー！　そうじゃん！」

輝が同調して声を上げる。そうだね、と美優も納得顔だ。

「わけ分かんない！　みんなも変に乗っからないでよ」

鳴が止めに入る。そもそもこれは妹の戯《ざ》れ言《ごと》なのだ。本当に呪いの箱かも分からないのに、大の大人が騒ぐのはどうなのだ。

「いいじゃん」

小馬鹿にしたような口調と面持《おもも》ちで、美優は鳴をちらりと流し見た。

つい、頭に血が上《のぼ》る。外見のタイプや性格が真逆の美優と鳴は、それぞれの価値観も違う。だから、根本的なところで合わない。意見が分かれることも多かったし、時にはお互い主張を曲げずに、どちらが正しいか言い争うこともあった。ただ、ここ数年の美優は鳴に対し、やけにマウントを取ってくる。さも自分はお前より上なのだと言わんばかりに。

（……そんな風にしなくても、アンタはさ）

鳴はちらと輝の方へ視線を向けた。

そのとき、表側から誰かがやって来た。

ワイシャツにスラックス姿の中年男性が、汗を拭いながらこちらへ向かって手を上げた。

「やっぱり。こっちにいたか。表まで声が聞こえてたよ」

「あ、小宅《おやけ》さん」

急に大人の顔に変わった美優が頭を下げる。小宅と呼ばれた男は輝と美優の顔を交互に見ながら、微笑んだ。

「はかどってる？」

「あぁ……どうも！」

輝と美優は小宅を迎えることが嬉しそうだ。

「はい、これ」

手にした鞄《かばん》から小宅が書類と鍵を取り出す。契約書やスペアキーのようだ。これでこの男性が不動産関連の人間だと、鳴にも分かった。

礼を言いながら受け取る輝に、小宅が問いかける。

「なんかあった？」

言葉を選びつつ、輝が答える。

「あ、いや……床の下から変な箱が出てきて……」

「は？　箱？」

輝は箱が出てきた場所へ小宅を案内する。皆もその後を付いていった。

「……ふうん。ここから、ね。しかしここ、なんで片付いていないんだ？」

小宅はぶつぶつ文句を繰り返している。それはハウスクリーニングを依頼している清掃業者への不満が大半を占めていた。

再び裏庭へ戻り、件《くだん》の風呂敷と箱を改めて確認して貰う。

「この箱が出てきたの？　あー、前に住んでいた人が置いてってたんだろうなあ」

さも困ったという顔で、小宅は風呂敷ごと箱を持ち上げる。

響が身を強ばらせたのを、鳴は見逃さなかった。

（ここまで来ると徹底してるよね。感動するわ）

必要のない響の演技力に素直に感心していると、真二郎が口を開いた。

「前に住んでいた人って、どんな人だったんですか？」

「あれ？　輝君たちには言ったけど」

箱と風呂敷を手にしたまま、小宅はチラッと輝と美優に視線を流した。二人は肯定するように小さく頷《うなず》いている。

「……元は若い夫婦が住んでいたんだけどね。それこそ輝君たちみたいなさ。でも、奥さんが家を出て行っちゃって。そうなると旦那さんもこんな広い家、住まなくてイイでしょ？　だから早々に引っ越しちゃったんだよね」

奥さん、お腹に子供がいたはずなんだけどなあ、と小宅は首を傾げて見せた。

「ま、瑕疵《かし》物件、事故物件とかじゃないから、安心して」

皆に向けて、小宅は微笑んだ。

「なら、忘れ物もするでしょうねぇー。そんな状況なら」

のんびりした真二郎の言葉に、小宅は微笑みで返す。輝が横から口を挟んだ。

「だったらその箱、どうしましょうか？」

前の住民のものなら、勝手に処分するわけにはいかないでしょうし、と小宅の顔を窺う。

相手は箱と風呂敷を持ち直すようにして、掲げた。

「いいや。こっちで処分しておくから」

風呂敷でクルリと箱を巻いて、小宅が無造作に小脇に抱える。

ダメ、と小さな声で響が呟くのを、鳴は聞き逃さなかった。やはり嫌気がさす。

一度振り向きかけた小宅が足を止めた。

「あ、夕方また……落ち着いた頃、来るから」

小宅を皆で表まで見送る。彼は営業車を家の前を通る道路に路上駐車していたらしい。車通りが少ないからだろうし、この家の駐車場にはトラックや他の車も停まっていたから入れなかったのだろう。道路へ出た小宅の姿が、道路と駐車場を隔てる植え込みの向こうへ消えていった。

(さて、残りの片付けも急ぐか)

鳴が振り返ると、真二郎がまたスマートフォンを弄《いじ》りだしていた。コトリバコに関する情報を検索しているのだ。輝と美優もその小さな画面を興味津々に覗《のぞ》き込んでいる。

(遊んでる暇ないのに)

鳴が皆の尻を叩こうとした、その時だった。

突如、響が走り出した。焦《あせ》ったような横顔だった。彼女は明らかに小宅を追っている。

「響……」

鳴は妹の背中に声を掛けるが足を止めない。一体どうしたというのだ。

追いかけた方が良いのか悩んでいると、真二郎が鳴の肩を叩いた。

「ほら、見てよ」

真二郎が鳴たちにスマートフォンの画面を突き出す。

コトリバコの画像が複数あった。しかし、どれもさっき見たものと違う。確かに寄せ木細工っぽい外観のものもあったが、さっきの箱より随分表面が整っており、綺麗《きれい》な状態である。例え再現図や想像図だとしても、別物に見えた。

似ていないな、と真二郎が言い終わるか終わらないタイミングで、背後から大きな音が轟《とどろ》いた。

皮の緩んだ大太鼓を叩いたような、鈍い音に似ていた。間を置かず、タイヤの甲高い音が続く。

音の方へ振り返ると、道路の際で響が立ち尽くしている。

足下には色褪せた風呂敷と、あの箱が剝き出しで落ちていた。

植え込みの上からトラックの荷台がちらと見えていた。

響が悲鳴を上げる。それが合図になったかのように、皆、我に返った。全員で慌てて道路へ向けて走って行く。

いち早く輝が響に辿り着いた。が、その顔が右を向く。そして彼は、大きな声で叫んだ。

「……小宅さん⁉」

道路に駆け出しながら、輝は不動産業者の名をわめくように繰り返す。

「小宅さん！　小宅さん！」

ようやく道路に出た鳴は、路上に転がっている小宅の姿を見つけた。

手足が出鱈目《でたらめ》な方向に曲がって、あちらこちらへ伸びている、と思った。

「救急車！」

傍にやって来た真二郎に輝が叫ぶ。真二郎は怒ったように返す。

「わかってるよ！」

手にしたスマートフォンをタップする真二郎の向こう側に、大きなトラックが停まっていた。自分が何をしたかやっと理解した運転手が、滑り落ちるように運転席から降りてくる。

鳴の横で、美優は目を大きく見開いて固まっている。

（……響は？）

妹は道路端に人形のように立ちすくんでいる。

ただ、その視線は足下の箱――コトリバコとは似ていないあの箱へ落とされていた。

第五章　呪箱 ―― 天沢 響

強い風が庭の木々をかき乱す音が聞こえる。

カーテンの向こうはすでに日が落ち、昼間の騒ぎが嘘のようだった。

(あの人、どうなっちゃったかな)

パソコンの前で響は不意に思い出す。幼なじみたちの新居を世話した不動産屋の小父《おじ》さん。不用意にあの箱に触れてしまったから、あんなことになった。そう。彼女にとっては当然の出来事であり、当たり前の事態であった。

不動産屋がトラックに跳ねられるのを目の当《ま》たりにしたとき、二つのことに気がついた。

ひとつは、車に跳ねられた人間があんなに軽々吹き飛ぶこと。

巨大な質量を持つものがスピードを上げてぶつかれば、人間はああなるのだと、直にこの目で見て理解した。と同時に、衝突音の大きさと無味乾燥さも深く心に刻まれた。そして、思ったよりも血が出ていなかったことも。

そしてもうひとつは、箱だ。

抱えていた人間はそのまま横に飛ばされたが、箱と風呂敷はその場に留まるように落ち、自分の足下へ転がってきた。それこそ、意思を持つかのように。

（コトリバコ）

真二郎が何の気なしに検索して出てきた情報だが、気になる。

（もし、あれがコトリバコであるなら）

響は愛用のヘッドホンを耳に掛け、ブラウザを立ち上げた。

検索窓に、〝ことりばこ〟と打ち込む。

幾つもサイトや動画が出てきた。その中にあった朗読動画を幾つか再生してみたが、どうもしっくりこない。響からすれば、真に迫らない声のトーンや内容だ。それに本当に拙《まず》いものであるなら、五感のいずれかに反応があるはずだ。

それこそ、前日の樹海配信や――昼間の箱のように。

しかし、これらネット動画にはそれがない。

深く息を吐いてから、響は再びマウスを右手に取り、人差し指を動かした。

一時期ネットの中で話題になっただけあり、情報はたっぷりとあった。それこそ映像作品や書籍のテーマにされているものも散見される。

（……元は、二〇〇六年六月、ネット掲示板発祥、か）

【コトリバコという名の箱がある。呪いの細工が施された箱であり、おぞましい出自を持つ呪具と言われる。呪いは女子供に効果があり、その家を絶やす。そのため、閉経し子を成せない女性や大人の男性には効果がない。

元々は今で言う山陰地方の出雲国《いずものくに》から、ある集落に落ち延びてきた男が作り方を教えたものである。

男は隠岐《おき》の人間だった。

一八六八年、隠岐の反乱・隠岐騒動を起こした側の人間である。

隠岐騒動とは、天皇を尊び、外国を排除したい隠岐の人たち尊王攘夷派《そんのうじょういは》と、天皇を蔑ろ《ないがし》にしている江戸幕府側の松江《まつえ》藩との争いである。

当然ながら男は追われていた。だから、集落側の人たちは男を厄介ごとの火種だと判じ、排除に踏み切ろうとする。

そこで男は自分を助けてくれたら、ある武器になる物の製法、呪法を授けると交渉した。

呪いの箱・コトリバコである。

寄せ木細工のような見た目のよいカラクリ箱に、動物の雌《めす》の血を満たす。

そこへ生まれてこなかった子・水子の一部を切り取り、入れる。

決して開けられないように封印する。

その後、殺したい人間の傍《そば》に置かれるよう理由を付けて渡すのだ。縁起物である、あるいはこの家の必要な祝い箱だ、など色々な方法があったらしい。

呪いの対象になった者らは、徐々に内臓がねじ切られ、そのうち大量の血を吐いて死ぬ。

そして、家が断絶する。

なお、何人の水子を使ったかでコトリバコの効果は変わる。

多ければ多いほど呪具としての格が上がり、呪いの効果は絶大となる。

ひとりならイッポウ。二人なら二ホウ、という風にそれぞれ人数に応《おう》じて名前が変わる。

サンポウ、シホウ、ゴホウ、ロッポウ、チッポウ、ハッカイ……と。

ホウ・ポウとは包だろうか。それとも封だろうか。

ホウやポウの付かない〈ハッカイ〉は特に強い呪力を持ち、作った側ですら命を落とす危険性があると言う。

この呪法は子を使い、相手の子を取る・獲《と》るから、子取り（獲り）箱とも称す。

男から製法を教わった集落の民は、自分たちと敵対する村の庄屋へコトリバコを送った。

結果、庄屋の家を中心にして十六人死んだ。

庄屋の家に住む女がひとり。そして庄屋の子供と周辺の子供、合わせて十五人。

効果は絶大であり、集落の者はこの事実を知らしめ、自衛に用いた。

結果、十六個の箱が作られた。これは最初の犠牲者の数に一致している。

ところが、あまりに強い呪具は集落の人間にも制御が出来なくなっていく。

結果、近隣の神社へ持ち込み、祓《はら》いを頼むことになる。

しかし、呪詛《じゅそ》の強さ故、神主にも難しい案件であった。

簡単に手を打てない、となった結果、集落に幾つかの組を作らせ、持ち回りで箱を管理し呪いを薄め、そして効果が下がったら解体する方法を取ることになる。

ただ、〈ハッカイ〉の箱だけはどうにも手が出せず、現代まで伝わった。

ネットで書き込んだ人間はこの〈ハッカイ〉を偶然手にしてしまったので、なんとか呪いを解こうと様々な手段を講じた――】

ざっと調べただけだったが、響は目眩《めまい》を覚えた。

コトリバコそのものの禍々《まがまが》しさに、ではない。呪法、呪術としてあまりに穴が多いことに対してだ。

リアリティを出すため、フィクションに史実を加えるのは小説や漫画、映像作品などでよく使われる手法である。とはいえ、この話は杜撰《ずさん》すぎる。

そもそも、家を断絶させるなら、若い男も呪いの対象にせねばならない。

何故《なぜ》なら、家督を継ぐ男が箱から離れ、別のところで子を成せば形はどうあれ家系は続く。

しかし、ネットの書き込みでは書き込んでいる若い男性たちは問題なく、また、同席した女性も少ししか触れていないから大丈夫だ、と結論づけられていた。

真の呪術にそのような曖昧さはない。少しでも関係を持てば、絶対に逃れられないものがほとんどだ。

更に調べると、まとめている内容ごとに箱の製法そのものに差異がある。

血を入れてから放置しろ。暗く湿った場所で保管せよ。妊婦の腹から間引いた胎児を使え。胎児の年齢とそれに応じた部位を切り取り、入れろ。それはへその尾や人差し指だ……。

完全におどろおどろしい方向へ舵《かじ》を切った内容が流布している。

元ネタは蠱毒《こどく》であろう、と響は思う。ある事情で以前調べたことがあった。

蠱毒とは、壺の中に閉じ込めた虫同士を喰い合わせ、最後に残った呪の結晶たる一匹の虫で行う呪詛である。

虫以外にも動物や人間を使う方法も存在している。また、偶然生じる蠱毒もあった。例えば、九州の某所のある集落では、犬や住民の大量殺戮《さつりく》が起こり、期せずして集落そのものが蠱毒の壺となった。その結果、現代まで集落の呪いが続いているらしい。現地に赴いた作家がルポルタージュとして纏《まと》めた本で読んだ。北九州、とタイトルに入っていたと思う。

しかし、このコトリバコはネット文化独特の怪談でしかない。

響はがっくりと気落ちする。

（違う）

輝の新居にあった、あの風呂敷に包まれた箱。

アレはコトリバコに似て非なる物。庄屋の家を滅ぼす以上の禍々しさを放っている。呪詛はもっと広範囲に及ぶのではないか。それこそ無差別に。

それに箱を見る前から、覚えのある厭《いや》な気配が周辺に充満していた。いや、それ以前に輝たちが引っ越しをすると聞いたときから、ある種の予感があった。

自分はそこに近づいてはならない。行けば――。

しかし輝たちはもちろん、姉の鳴のことを考えると、そういってはいられない事態だ。不幸を未然に防ぐために。だから行った。鼻白む姉から嫌みを言われながらも。

しかし、実際に箱を目《ま》の当たりにして、とてつもない後悔が襲ってきたのも事実だ。

まず、風呂敷に包まれた状態でもその周囲が歪《ゆが》み、淀んでいるのが分かった。

美優が風呂敷を開ける際、結び目に絡みつく無数の百足《むかで》状の影も、目にした。

風呂敷の結び目に封印の呪が掛けてあったのか、それとも漏れ出していた呪詛だったのか、あるいは別の何かがあったのか分からない。

ただ、解いてはならないことだけは伝わってきた。

しかし、美優は開けた。

中から出てきたものが箱だと、最初響には認識できなかった。

真っ黒な長方体を中心に、赤黒い何かが渦巻いていた。

小さな竜巻のように、いや、それよりも粘っこい、どろりとした液体のようなものがグルグルと周囲に飛沫を飛ばしながらゆったりと渦状に回転していた。

目を凝らして、ようやくそれが古びて傷《いた》んだ箱状の物だと分かったほどだ。

触れてはいけない、禁忌の存在であることを本能的に悟った。

それでも皆は気付かない。当たり前だとしても歯痒さがあった。

そして、不動産屋の小父さんは無造作に摑《つか》んで持ち去ろうとした。その後――。

響はモニタに映し出されたサイトを読み直した。

ハッカイの名に目が止まった。

元が山陰地方であるなら、この静岡には関係がない。が、富士山からの湧水が湖となった忍野八海《おしのはっかい》を思い出させるワードではある。

でも、と響の頭の中で否定する言葉が浮かんだ。

やはりコトリバコは自分の知るあれとは、本質的に違うものだ。もっと禍々しい。それこそ災禍、災厄とも言うべき存在が凝《こご》ったもの、と言っても過言ではない。

「……ツッ」

首の後ろに鈍い痛みが走り、そのまま上にあがってくる。

目の端が黒く歪みだした。視界が急に狭まってくる。

身体に影響が出始めた。響は目を閉じ、腹式呼吸で大きく息を吐き、吸う。

何度も何度も繰り返すうち、なんとか楽になった。ふと、姉たちのことを思い出す。

（……皆、大丈夫かな？）

あの場で箱に触れたのは、事故に遭った不動産屋の小父さん、輝、美優。そして枝を介して、真二郎。響と鳴は一度も触れていない。

しかし、箱と関わった事実に変わりない。

厭な感覚が襲ってくる。

また頭の鈍痛が始まった。

振り払おうと椅子に座り直したとき、背後で何かが動いた。

一瞬だけ、壁に黒いものが映っているのを目で確認できた。それは風に揺れる枝葉の影のようだった。が、本当にそうなのだろうか。部屋の中にそんなものはない。窓もカーテンも開けていない。

モニタへ視線を戻したとき、背後から声が伝わってきた。

「……やめときなさい」

もう一度振り返る。

いつの間に入ってきたのか、部屋の片隅に童顔の、自分に似た女性が立っている。

「ママ……」

眉間《みけん》に皺《しわ》を薄く寄せたまま、母親は部屋のドアから出て行く。

「またそんなのばっかりみて」

廊下から咎《とが》めるような声が響いた。

こういう類いの物を見ていると、母親からこんな風に忠告される。いつからだったろう？　ずっとずっと前、幼い頃からだ。

（でもね、ママ）

今、調べておいて、対策をしないといけないと思うんだ、と響は独り言のようにそっと呟《つぶや》いて、視線を下へ向けた。

第六章　関係 ── 天沢 鳴

夜風がカーテンを揺らしている。

柔らかなバスタオルで髪の毛を拭きながら、鳴は開け放した自室の入り口で、エアコンを入れるか入れまいか少し悩んでいた。

(風通しがいいから、このままでもいいかな)

庭の木がザアザアと鳴った。その割に吹き込む風は少ない。

ドアを閉めようと振り向いたとき、廊下を人が通ったような気がした。家族の誰かだったのだろう。

気にせずノブに手を掛けると、隣室から微《かす》かな音が漏れ聞こえてきた。例えるなら椅子を何度も引くような音、か。

(何やってんだか。せめて静かにして欲しいもんだな)

引きこもりの妹は、四六時中、窓もドアも閉め切って、エアコンを掛けっぱなしにしているはずだ。それなのにここまで漏れているということは、かなり大きい音になる。

時間によっては迷惑甚《はなは》だしい行為だ。

（家から出ずに他人に迷惑を掛けないだけマシなのに、それすら出来なくなるのなら）

何かしないといけない。

（頭痛の種だ）

ゲンナリしながら、鳴は自身のスマートフォンを目で探した。

見える場所にない。

だとしたら、昼間着ていった薄手のアウターのポケットか。

探ると、固い感触が指先に伝わった。ただ、それはスマートフォンの筐体《きょうたい》の手触りではない。もっと無骨な、冷たい金属の感触。そして滑らかな紙箱の表面。

抜き出した鳴の手の中に、煙草――ラッキーストライクの箱と、使い込まれた銀色のジッポライターがあった。ボトムケースには立体的な鷲《わし》のエンブレムが施されている。

（……輝め）

鳴は箱から一本抜き出して、口に咥《くわ》えながら窓へ近づく。

乾いたフィルタが唇に少し張り付いた。懐かしい、独特の香りがふっと鼻にのぼってくる。

ジッポの蓋《ふた》を開け、フリント・ホイールを回し掛けた。

が、そこで止めて、煙草を箱に戻す。

（このタイミングで、か）

昼間、引っ越し作業の休憩中だった。

鳴と輝が二人で風の入る窓際に座っていると、彼が思いついたように口を開いた。

「あのさ、知ってる?」

「ん?」

「左手の薬指には心臓に繋《つな》がる静脈があんだって」

「え……?」

「いや、昔の人はそう信じていたって」

輝は自身の左手を天に翳《かざ》すように、持ち上げた。

その薬指に光るのは、銀色のリングだった。

「想いがこもっているっつーか、もう逃げらんねーな」

「パパになる人がなに言ってんの」

はにかむ幼なじみの横で、鳴は自分が上手く笑えているか、不安だった。

輝と美優は授かり婚をした。言い換えれば、出来婚だ。

知らされたのは、少し前。二人から引っ越しの頼みを聞いた日だった。

そのとき、妊娠初期なんだ、と美優がまだ目立たないお腹をさすって見せた。これ見よがしさが鼻についた。

（……輝がパパか）

鳴は輝の左手に光る銀色の輪を目に捉えながら、薬指の意味を思い出す。

心臓に近い左手薬指は、心に愛情を伝える指だと西洋では呼ばれ、マリッジリングを嵌《は》める習わしになっている。

だが、反面それは互いを縛る契約の証《あかし》、呪いでもあるとも聞いた。

（ホント、ある意味、呪いだなぁ）

祝福にそぐわない言葉が浮かび、咄嗟《とっさ》に指輪から目を外す。

鳴の心の裡《うち》など知るよしもない輝は、笑いながらポケットへ手を入れ、煙草とジッポライターを取り出す。が、しばし動きを止めた。その時、窓の外から美優の声が響いた。

「輝、これここ置いといて平気？」

どことなく幸せそうな声だった。

「うん。美優も少し休めよ」

返事をしながら輝は窓から顔を出し、下にいる美優に優しげな眼差しを向ける。

そう言えば、さっきも「重い物は持つなよ。良くないからな」と彼女を気遣っていた。

彼は立ち上がり、手にしたジッポを煙草ごと鳴に渡す。

「これ、返すわ」

両腕を上げ、背伸びをしながら、輝は部屋を出ていった。

鳴の手には、ジッポと煙草の箱が残された。

手入れが行き届きながらも銀色の輝きが鈍くなったジッポを見ていると、光り輝くような銀色の指輪が頭に浮かんでくる。

鳴は無言のまま、アウターのポケットにライターごと煙草をねじ込んだ──。

(奥さんと、生まれてくる赤ちゃんのため、か)

鳴はジッポの表面を指で触れ、次に壁の方へ振り返る。

麻紐《ひも》に吊《つる》された、インスタントカメラの小さな写真たちが微かに風に揺れていた。

窓際からゆっくりとそちらへ近づく。

そこには高校時代の輝と鳴、美優、真二郎の笑顔が残されている。

(そうだったなぁ)

自分たちが入学したとき、美優と真二郎は三年生として在籍していた。

美優は常に男子生徒から告白されるような存在で、人気者だった。

真二郎はバスケット部で、軽音部と掛け持ちで活躍していた。

(輝は……)

壁の写真を眺めた。彼はあどけない顔でサッカーボールを抱えている。

当時、美優はサッカー部のマネージャーをしていた。鳴もまた、輝を追いかけて、サッカー部のマネージャーになった。

（三年が引退するまで、よく三人でいたっけ）

美優と真二郎が卒業後、少ししてから鳴と輝は付き合うようになった。これといった告白はなかったたし、しなかったけれど、自然な流れだった。

そして、高校三年の引退試合の後、輝は煙草を吸うようになった。

「マジカッケェんだ、あの人」

輝が憧れていたのは、テレビや映画で活躍している俳優だった。

その俳優は愛煙家で、大型バイクを始めとしたモータースポーツ、そしてマリンスポーツを好んでいる人物だった。

輝は、その人物への憧れから、喫煙と二輪免許取得、バイク弄《いじ》りを始めた。後に大型二輪の免許を取るためにアルバイトを増やしたことも知っている。

その頃、輝に誘われて、何度か彼の煙草を吸ったことがある。苦くて、喉が痛くて、でもなんとなく輝にもっと近づけたような気がして、嬉《うれ》しかった。

ある日、二人で煙草を吸っているところを祖母に見咎《みとが》められてから、鳴は完全に吸わなくなった。が、輝はそれ以降も喫煙をやめる気配は一切なかった。

（そうだったな）

鳴は手の中のジッポを見詰める。

輝が煙草を吸い始めた後、鳴はこのライターをプレゼントした。

「大事にする！」

照れくさそうに笑いながら、輝は何度も点《つ》けたり消したりを繰り返していた。

ところが、十九歳になった頃に、急に輝から別れを告げられた。

鳴を嫌いになったのではない。しかし美優に惚れてしまったからだ、という理由で。

詳しくは聞けなかったし、追いすがるのも嫌だった。何故《なぜ》なら、輝はそんな女が大嫌いだったから。輝に嫌われたくなかった。

聞き分けのいい女を演じたことで、輝は美優と一緒にいる場に、鳴と真二郎、響を呼ぶようになった。問題ないと判断したのだろう。

お前、大丈夫なの？　と心配してくれる真二郎の優しさが心地よかったことを覚えている。だから、輝の前でこれ見よがしに真二郎と仲良くしてみたこともある。輝が焼き餅をやき、やっぱりオマエがいい、とよりを戻してくれないかというズルい算段があった。

ところが思惑通りにことは運ばない。彼は逆に真二郎との仲を率先して後押ししてくるようになった。

「真二郎、イイヤツじゃん。それにアイツもオマエのことをさ」

当て擦《こす》るように付き合いだしたが、それもまた長続きするはずもない。真二郎とは友達に戻ったが、そこに来てこの結婚と妊娠、引っ越し話だった。

（なんか、いろいろ酷《ひど》い話だよね、実際）
煙草とジッポを、写真の下の棚へ置く。
（パパになるんだもんね。もう、こんなの、いらないよね）
鳴はジッポを一瞥《いちべつ》し、もう一度窓際へ歩いて行くと、真っ暗な空を見上げた。
風はもう、やんでいた。

第七章　来訪　――　天沢 響

頭が重い。

閉め切ったカーテンを久しぶりに開けると、強い光が響のしょぼついた目を射る。

顔を顰《しか》めれば後頭部に張り付いた痛みが僅《わず》かに強くなる。点《つ》けっぱなしだったパソコンは、スリープ状態で静かに待機している。

窓の外を眺めた。庭木の向こうには家々の屋根が並び、酷暑の太陽に灼かれていた。

響は気が進まない様子でのろのろ部屋を出る。

温《ぬる》い木の床が足裏に当たる。廊下にはムッとした空気が満ちていた。階段を降りる途中、台所から洗い物の音が僅かに反響して聞こえた。

曜日感覚は薄いものの、今日が平日であることは覚えている。だとすれば、姉は大学に出掛けている。

階段を降りきった先の壁には、モニタ付きのインターホンが取り付けられていた。

防犯のためでもあるが、半分は響のためであった。

幼い頃、響は独りで留守番することが多かった。三歳上の姉である鳴が響の言動を疎み、ひとりであそびに行ってしまうからだ。そんなとき、決まって玄関のチャイムが鳴り、彼女を呼ぶ声がした。応対に出るとそこで厭《いや》なものに出くわしてしまう。手や足がない、あるいは頭が斜めに削《そ》げ落ちた等、どう見ても生きていない人間だ。

何度目からか、チャイムが鳴ろうが誰かが呼ぼうが絶対にもう出ない、と決め、全て無視するようになった。ところが、大事な荷物の宅配や来客が幾度か重なり、困ったことが度々起こった。

どうして響が留守番を上手く出来ないか、家族が理由を訊《き》いてきたから正直に答えた。

そして、祖母が仕方なくモニタ付きインターホンの導入を決めた。

「お外が見えるインターホン。何か聞こえたら、最初にこれを見るんだよ」

大人たちの教えを守るようになったお陰で、玄関先に来るものを確認できるようになり、応対する、しないをその場で決めることが出来るようになった。

（……厭なもの、か）

響は無意識にインターホンのモニタへ顔を向ける。

黒い液晶画面は、うんともすんとも言わない。

しかし、何故《なぜ》か、好まざる報《しら》せが来る予兆が波のように伝わってきた。

（……何？）

身じろぎする響の目の前で、突然インターホンが鳴った。

モニタに二人の男が映る。

多分、三、四〇歳ほどの年齢で、両方とも鋭い目をしていた。

ワイシャツ姿だが、ガッチリした体格だ。

背の低い方の男はカメラを見据え、少し背が高い方は周囲に向かって注意を払っている。

彼らは生きた人間だったが、響の緊張は解けない。

振り返ると、いつの間にか祖母の唯子が立っている。彼女は心配そうな表情でこちらの様子を窺《うかが》っていた。

（これか）

さっきの予兆の正体。招かれざる客が、来た。

辿《たど》々しい指先でボタンを操作し、響は声を絞り出した。

「はい……」

「警察です」

背の低い方が慣れた様子で手帳を開き、カメラへ映す。

背後から、身を固くする祖母の気配が伝わってきた。

「天沢、響さん、いらっしゃいますか？」

自分の名を呼ばれた。そうだろうなと分かっていた。

「私……です」

入れ替わるように、背の高い方の刑事がモニタ越しに話しかけてくる。

「インターネットで配信されていたアキナさんのことで、お話を聞かせていただきたいのですが」

居丈高で詰問調の物言いだった。

何か答えなくては。

喉の奥から言葉を絞りだそうとした響の目が、大きく見開かれた。

刑事二人の背後。

そこに、輪郭のぼやけた女の影がある。

夏の陽光の下、そこだけが薄黒く人の形に凝《こご》っていた。

それは、あの動画配信者——アキナの顔をしていた。

ただ、顔の筋力が失せたかのように、表情がない。

響は知っている。こんな状態の顔を見たことがある。そうだ。祖父が亡くなったときの、その顔に似ている。生命活動が止まった人の顔、だ。

アキナの光のない虚ろな瞳が、モニタ越しに響を捉えている。

腐った肉の臭いが鼻の奥で広がった。全身から体温を奪われる。脊椎に沿って冷たい手で逆撫《さかな》でされるような感覚が襲ってくる。

背後から肩を摑《つか》まれた。

反射的に振り返る。案じる表情の祖母がいた。

「なんなの？　……どうして警察が？」

モニタと響を交互に見ながら、小さな声で問いかけてくる。響には分かっている。どうして、アキナが彼ら二人の後ろにいるのかも、察している。

だが上手く説明できない。

不安げな祖母の目から逃れるように顔を伏せる。インターホンの向こうから警察の二人が何度も呼びかけ続けていた。


「では、失礼します」

背が低い方の——葛西《かさい》、と名乗った刑事が頭を下げる。それに倣うように、背が高い方の刑事、曽根《そね》も続いて一礼する。

二人は玄関先から門へ向かって歩いて行く。そこにアキナの姿はない。

響は刑事たちの背中をボンヤリ見詰めながら、あの配信が事件化していることを実感していた。視聴者からの通報もあったようだが、それよりもアキナの家族からの捜索依頼によって警察が動き始めたようだ。

アキナは今も消息不明らしい。

刑事二人から動画配信のこと、アキナのことをさんざん訊かれた。

いつから見始めたのか、アキナとは面識があるのか、他の視聴者との繋《つな》がりは……質問全てに裏の意図があるのではないかと、響は恐れた。失言を誘っているようにも感じたからだ。もしひと言でも間違えたら、そこで逮捕されるのではないか。冗談ではなく、本気でそう思った。だから出来うる限り余計な言葉を出さないよう、受け答えした。

配信内容は、アーカイブで全容が確認できた、と彼らは言った。

若い女性が青木ヶ原樹海へ赴き、そこで死体を発見し、その後逃げ惑った挙げ句、最後に明らかな第三者の存在を匂わせる終わり方をした——普通に考えれば、何か事件が起こったと考えるのが妥当だろう。

もちろん、視聴者のコメントログも全てチェックされている。プロバイダへの情報開示も要請したと言っていた。だから、響のところへ警察がやって来た。発言の内容とタイミングが特に問題視されたのだ、と思う。当然他の常連視聴者にも手が回っていることは明らかだ。

（……でも、あれ、なんだったんだろ？）

刑事二人に事情を聞かれていたときはまだ、その後ろにアキナの姿があった。

常にいるわけではないのだが、気付くと刑事の肩越しにこちらをじっと見詰めている。

最初こそ無表情だと感じていたが、次第にそれは違うことが分かってきた。

アキナは、何かを探しているような目つきをしていた。

そして響に何度も視線を合わせた後、僅かに嬉《うれ》しそうな表情をした。

そこで満足したのか、アキナの姿は風に飛ばされるように消えていった。

確信した。アキナはすでにこの世にいない。しかし、それを刑事には言えない。理解して貰《もら》えないだろうし、言ったところであらぬ疑いを掛けられるのが関の山だ。

普通の人からすれば、響の見ている世界は嘘っぱちだ、と一刀両断することが当たり前なのだから。姉の鳴のように。

（……疲れた）

生きた人間相手に長く話すのは心と体が緊張し、疲弊する。

家族相手なら、口をきかず、そのまま部屋へ閉じこもればいい。しかし、さすがに警察相手にそれは通らない。

重い足取りで上がり框《かまち》を踏もうとしたとき、背後に何かの気配を感じる。

振り返ると、そこには母親の琴音《ことね》が心配そうな表情を浮かべ、立っていた。

いつからそこにいたか分からないが、刑事たちとのやり取りを近くで聞いていたことに間違いない。じっとその顔を見ていると、口が動いた。

「大丈夫だった……？」

いつも母親には心配を掛けている。幼い頃から、ずっと。

「うん……」

響は口の端を少しだけ上げて、答えた。

琴音は、愁いを湛《たた》えた目を娘に向けたまま、その場に佇《たたず》んでいた。

『お前らが煽《あお》ったせいだって、刑事に怒鳴られてさ』

響のマイク付きヘッドホンに、若い男の不満げな声が満ちる。

日が暮れ、薄暗くなった部屋。パソコンのモニタに映し出されたコミュニケーションツールアプリには、複数人の特徴的なアイコンとハンドルネームが並んでいる。

文句を言っているのは、ピル男と名乗る人物だ。

『うちも』

少し疲れた女性の声だ。昼顔と名乗っている。

『ウチんとこにも来た！』

苛ついたように喋《しゃべ》る若い女性の声は、ド腐れゾンビである。

『じゃ全員、事情聴取を受けたってわけだ』

冷静に受け答えしている男性が、タルピオットだった。

『え、ちょ、ちょっと待って……ド腐れゾンビって女……の子なの？』

ピル男が狼狽《うろた》えたような声を上げた。驚いたのは、多分、ド腐れゾンビというハンドルネームにそぐわない、可愛らしい声だからだろうか。

「え、ダメ？」

ド腐れゾンビが訊き返す。

『いや……』

ピル男の答えは歯切れが悪い。

『あれ？　ジーニーいるじゃん』

ジーニー――響は、彼らと音声通話でのコミュニケーションを取ったことがない。

アキナの常連たちとアプリのＩＤを交換したのは、単に情報収集のためだけだったし、基本的にチャットでのやり取りだけにしようと考えていた。

グループチャットの誘いに気付いたので、日中のことが訊けるかと参加したのだが、途中から『打ち込みが面倒くさいから、グループ通話にしよう』とピル男が提案し、全員参加の通話が始まった。黙って聞いていればいいと無言を貫いていたが、アプリには参加者の名前も出る。だから気付かれてしまった。元々、コミュニケーションツールアプリをあまり使う機会がなかったからこその失策だった。

『え？　ジーニー？　なんか喋《しゃべ》って喋って！』

ピル男が煽ってくる。

『初めましてー』

昼顔も挨拶を口にする。彼らとはチャットでは何度か絡んだことがある。が、通話はしたくない。響は彼らが自分への興味を失うことを願った。

しかし、ピル男たちはそれを許さない。

『……いきなし無視！』

ピル男が不満そうに声を上げるが、昼顔がフォローを入れてくれた。

『もういいよ。……それよかさ、なに、このラジオヘッドのトプ画……？』

トプ画——トップ画像であり、アイコンに使っている画像である。

ラジオヘッドのアイコンには、女性の顔が使われている。

長い黒髪で、響と同じ十代くらいか。

ただし、血の気のない、明らかに生者ではない女性だ。

『これ、ヤバいっしょ？　樹海で自殺した女の子』

ラジオヘッドの操作で、アプリ上にネットの元記事が表示された。青木ヶ原樹海で自殺した女性のニュースであったが、さすがに遺体の画像はない。

自慢げな調子のラジオヘッドに被《かぶ》せるように、タルピオットが喋り始める。

『樹海の中には、自殺に訪れたが死に切れなかった人々が作った村がある……』

『は？　どうした急に』

ラジオヘッドが戸惑った声で訊《たず》ねる。

『有名な都市伝説だよ……』

落ち着き払った様子で、タルピオットが続ける。

『あのとき、アッキーナが見たのはその村だったんじゃないだろうか』

全員黙りこくる。

村。樹海村。

あの日、タルピオットが打ち込んだ樹海村の文字と樹海内の映像を思い出す。

客観的に見て、あれは村なのだろうか。普通、村には家屋が立ち並ぶ。例えそれが朽ち果てそうなものだとしても、生活の場の痕跡として必要だ。

しかし、樹海のあの場所は、村と呼ぶにはいろいろな物が足りない。

いや。足りないというより、異様な物――禍々《まがまが》しい呪いのアイテムや呪術の痕跡しかなかった。

(多分、あそこが)

思いを巡らせている響の耳に、耳障《ざわ》りな男の声が飛び込んでくる。

『ぜってー、そうだよ！　なあ、村探しに行ってみねー？　アッキーナも探そうぜ』

口数の多いラジオヘッドだ。ド腐れゾンビが否定的な口調で問いかける。

『樹海に行くってこと？』

彼女の言葉の真意を無視するかのように、ピル男がいち早く賛同した。

『いいね。行こうよ！』

ド腐れゾンビは冷たく言い放つ。

『あんたたち、樹海ナメてない？』

その瞬間、どこからともなく赤ん坊の泣き声が割り込んできた。

皆が一斉に口を閉じ、緊張した空気が流れた。

響も耳を澄ます。

『おいおいおいおい、誰だ？　赤ん坊泣いてんぞ』

雰囲気を変えようとしたのか、ピル男がふざけた口調で言う。

『ホントだ……』

少し硬い声でド腐れゾンビが反応した。

『昼顔ん家《ち》？』

ラジオヘッドに訊かれ、昼顔が即答する。

『いや、うち子供いないし……。あっ、ジーニーんとこかな？　って振っても全然喋ってくれないか……』

『ジーニー、なにか喋れよ』

焦《じ》れたピル男の声に被《かぶ》さって、ヘッドホンの両側からノイズが入り始める。耳を圧迫するような、不快な音。

響は頭を抱えるようにヘッドホンの上から両耳を押さえる。

原因を探ろうと、顔を顰めながらモニタに向けて顔を上げた。
ノイズがやむと同時に、息が止まりそうになった。
表示されたアプリのアイコン全てが変容を始めていた。
ジワリジワリと、画像が、色が、モーフィングするかのように変わっていく。
現れたのは、長い髪の、血の気のない顔をした、若い女の画像。
（……これ）
全員のアイコンが、ラジオヘッドが使っている写真へと変化し終える。
そう。樹海で自殺した、女性の顔に。
「……なにこれ！」
響は思わず声を上げた。
これまで色々目にしてきたが、初めて見る現象だった。
『お、喋った！』
嬉しそうなラジオヘッドの声を追うように、昼顔も口を開く。
『今の、ジーニーの声？』
『かわいい声してんじゃん！』
ピル男の喜びように対し、ド腐れゾンビが呆《あき》れた声を上げる。
『なに、それ……』

アイコンの変化に気付いていないのか、それについて誰も口にしない。

(気付いてないの⁉　見えていないの⁉)

怯《おび》える響の目の前で、不意に画面の変化が始まった。

並んだアイコンの女性全てが、ゆっくりと動き出した。

シンクロするようにゆるゆると小首を傾《かし》げ、それから、嗤《わら》った。

「……誰?」

どうして嗤うの。何故、私だけに。響が叫ぶ。

「やめてよ‼」

のんびりしたピル男の声が入ってくる。

『なにか、いきなしキレてんだけど……』

『どゆこと?』

狼狽えるようなド腐れゾンビの声に続き、ラジオヘッドが軽い感じで問いかけてきた。

『おーい、ジーニィー……どったの?』

が、彼らの音声も、変調していく。再生速度を下げたような、オクターブが下がってくぐもったような声へ。そこから更にノイズへと変わっていき、響の両の耳を責め苛《さいな》んでくる。

目の前のモニタの中で、様々な画像が入ったウインドウが、音もなく入り乱れ始めた。

緑色じみた背景の中にいる、人、人、人、人。人の姿。

死んだ人間の画像が、モニタの中に散らばっていく。

枝からぶら下がった首吊《くびつ》り遺体。散らばる薬の包装シートに囲まれ、幹にもたれかかっている遺体。木の根元で朽ち果て掛けた、かろうじて人と分かる黒っぽい物体……。

中にはモザイクが掛かっているものもあったが、突然解除され、鮮明な死者の顔が大映しになることもあった。

（……と、まれ、止まれ！）

マウスのボタンを乱打し、ひとつひとつ閉じていく。しかし、それを上回るスピードで遺体画像は増えていく。

（止まれ！　止まれ！　止まれ！　止まれ！）

消しても消しても、嘲笑《あざわら》うが如《ごと》く、ページが重なり続けていく。

響はデスクの下へ腕を伸ばした。

パソコンの電源ソケットを抜く。

キュ、と音を立て、パソコンは沈黙した。

暗くなったモニタに、疲労が色濃く残った自身の顔が映っている。

しかし、その下。向かって左側の肩。

そこに、白く、小さな手が掛けられているのが見えた。

紅葉《もみじ》のような可愛らしい、赤ん坊の手だ。だがしかし、親指、人差し指、中指……その次にある指だけが、切り取られたようにない。

咄嗟《とっさ》に振り返る。

何も、誰もいない。

左右に目を動かして、周囲を見回す中、突然耳元で泣き声が弾《はじ》けた。

短い、赤ん坊の、奇声のような泣き声。

一瞬で終わったが、痛むほど心臓が速く打っている。

(指が足りない、赤ん坊の手。泣き声)

響はそっとヘッドホンを外す。静かな自室が、そこにあった。

赤ん坊。泣き声。赤ちゃん。産声《うぶごえ》。

言いようのない不安の正体が、何かの像を結ぼうとしていた。

(そうか。そうだ。そういうことなんだ)

響は部屋を飛び出した。廊下を駆け、転びそうになりながら階段を下りる。

居間に飛び込むと、床に座っている鳴が驚いた顔でこちらを見た。そしてすぐに訝《いぶか》しげな目に変わり、問いかけてくる。

「なに……なんなの……!?」

響は、最初に何を伝えるべきなのかすら、考えていなかった。

咄嗟に口から出てきたのは、幼なじみの名だった。

「美優ちゃんがッ」

「はぁ?」

鳩が豆鉄砲を食ったような顔で、鳴が首を傾げる。

彼女が口を開こうとした瞬間、傍《そば》にあったスマートフォンが鳴り始めた。

画面には、輝、と表示されている。

響の目にはその名が酷《ひど》く歪《ゆが》んで見えた。

第八章　喪失 ―― 天沢 鳴

ガランとした通路に、非常灯の緑の光が落ちている。

消毒液独特の匂いが、鳴に厭《いや》な記憶を呼び起こさせる。

彼女のまつげが動揺したように震えた。ここに救急搬送された祖父が亡くなった日もこんな感じだった。

総合病院の廊下にある長椅子に、鳴は浅く腰掛けている。

膝《ひざ》の上に肘《ひじ》を立て、両手で口元を覆った。匂いを嗅ぎたくなかった。

自分の左横には、響。右側、座面の切れたところに真二郎が腕組みをして立っている。

「……じゃあ、阿久津さん。お願いしますね」

顔を上げると、四人部屋の病室から女性看護師が出てくるところだった。その後ろで深々と頭を下げているのは、輝だ。

看護師は鳴たちにも軽く頭を下げながら立ち去っていく。

「……おう」

真二郎が手を上げながら、輝へ近づいていった。次に響が後を追う。鳴は両足に力を入れた。立ち上がることがこんなに億劫《おっくう》なのは初めてだった。

やっと椅子から離れると、輝と目が合った。彼はすぐに視線を逸《そ》らした。

「……命に、別状ないって」

絞り出すような輝の小さな声だった。

「美優の様子、見れるか？」

真二郎の言葉に、輝は首を振った。

「アイツ、今、包帯だらけでさ。酷《ひど》い怪我《けが》じゃないけど、顔もガーゼとか、絆創膏《ばんそうこう》が貼ってあるから。あんま、見ないでやってくれるか？　それに……」

真二郎は身振りで輝の言葉を遮り、何も言わず頷《うなず》いた。響はその脇で肩をすぼめたまま項垂《うなだ》れている。

輝は相変わらずこちらに目を合わせようとしない。堪《たま》らず鳴は病室のドアへ視線を向けた。

入院患者名が書かれたプレートが差し込まれていた。

〈阿久津　美優〉とあった。

やっぱり見慣れない組み合わせだ、と鳴は感じた。片瀬美優ではもうない。彼女は輝の名字になったのだ。改めて二人が結婚したのだと自覚させられてしまう。

（サイテーだ）

こんな時、そんなことを思う自分に、鳴は嫌気がさした。

「輝、今晩は美優の傍《そば》にいるんだろ？　俺ら、帰るから。なにかあったら連絡してくれ」

普段とはまるで違うトーンで話す真二郎に、輝は掠《かす》れた声で、うん、と答えた。


病院の時間外出入り口から、四人は出てくる。

鳴たちを見送ると、輝が付いてきたのだ。

照明灯が照らすアスファルトを、横並びになって無言で歩く。

「まあでも、大した怪我じゃなくて良かったよ」

「ああ」

真二郎の柔らかい声に、輝が短く答える。

響が立ち止まった。二、三歩先に進んでいた三人も足を止め、振り返る。

押し殺すように、響は呟《つぶや》いた。

「……でも、赤ちゃん……」

今にも涙が零《こぼ》れそうな目で、響は輝を見詰める。

「ん？」

聞こえていなかったのか、真二郎が訊《き》き返した。

「赤ちゃん……」

妹が何を言いたいのか、鳴には予想が付く。

病院に来る道すがら、妹はずっと「美優ちゃんが危ない」「輝君と美優ちゃんの赤ちゃんが危ない」と繰り返していた。輝からの電話で、美優が階段を踏み外し、怪我を負ったことは聞いていたが、赤ちゃんに関しては何も知らない。輝の性格上、何かあれば真っ先に自分たちに教えるだろう。それが良いことでも悪いことでも。しかし、彼は一切そのことを話さない。なら、無事なはずだ。

（響、いい加減にしてよ）

鳴は、そっと輝の様子を窺《うかが》った。そして、驚いた。

その目から、大粒の涙が次から次へと零れ始めていたからだ。

彼は両拳に力を込めながら、天を仰ぐ。それでも、嗚咽《おえつ》が止まらない。

息を詰まらせながら顔を伏せ、ついには声を上げて泣き出した。

輝と美優の赤ちゃんがどうなってしまったのか、理解出来た。

そして、どうして彼が自分の目を見てくれなかったのかも。引っ越しの日、あれだけ幸せそうに語っていた赤ちゃんが……。

皆で輝を見守るしかなかった。

鳴はふと、考える。

（あのとき響だけが、美優と赤ん坊のことを分かってた――？）

二階から駆け下りてきたあのときから、分かっていたのか。
いや、それ以前に、妹に輝と美優の赤ちゃんのことを話しただろうか？
教えた記憶はない。何かで知り得るとすれば、輝か美優から直接聞くしかないだろう。
しかし――。
すぐ横で俯《うつむ》いている妹は、じっと黙って地面を見詰め続けていた。

第九章 加持 —— 天沢 響

広々と敷き詰められた畳の上に、五つの影が伸びている。

背後から蝉時雨《せみしぐれ》が聞こえていたが、それもいつしか糸のように細くなって消えていった。

伽羅《きゃら》や白檀《びゃくだん》の香の香りが立ちこめる中、爪先から少し感覚が失せ始めている。

響はそっと足の指先を右手で摘まんでみた。ジンという気持ち悪い感触が生じた。

隣には鳴、真二郎、輝、美優が同じように膝《ひざ》を揃《そろ》えている。

美優の顔には絆創膏《ばんそうこう》が残り、腕にもまだ包帯が巻かれていた。痛々しい姿だ。

あの日から数日が経《た》ち、彼女はようやく退院できた。

「まあ、気のせいです」

目の前に座る、短く髪を刈り込んだ僧形の人物が張りのある声でそう言った。

後ろには一段高くなった内陣があり、ご本尊が厳かに祀《まつ》られていた。

その前に台が設《しつら》えられ、そこには——あの箱が乗せられていた。

今日、輝が納めたのだ。

「あの後、箱を見つけた基礎の内部へ戻しておいたんだ」

ここへ来る際、輝から事故の状況を聞いた。そして、美優が落ちたのは玄関から通じる外階段で、輝が気付いたときには、コンクリート基礎の蓋《ふた》の前——箱を保管していた場所の真ん前——でお腹を押さえて倒れていたことも教えて貰《もら》った。

（……やっぱり）

響は自身の予兆が現実になったことを悔んだ。

（だとすると……）

箱へ目が行く。今にも崩壊しそうに傷《いた》み、黒ずんだ箱が、そこにある。

「ほら、残念な事故が重なったでしょ？」

僧侶が言葉を続ける。

輝と美優が身じろぎしたのが、何となく伝わって来る。

真二郎が小さくため息を吐いたのが聞こえた。

このお寺は、真二郎の実家である。

目の前に座るのは、彼の実父であり、お寺の住職である鷲尾良道《よしみち》であった。

浅黒い肌。中肉中背。全身から潑剌《はつらつ》とした空気を発散している。もうすぐ五十の声を聞くというが、それよりもずっと若く見える。

「気のせいの〈気〉とは君たちの〈気〉です。気が全て、箱に向かってる。言わば〈気になってる〉んです」

良道が、五人ひとりひとりに視線を向ける。

確かにそうかも知れないと思わせる説得力があった。病も気から。あの箱が呪いの箱と思うからこそ、何かがあればそのせいだと気にする。人間として当たり前の心理だ。

（でも、あれは）

響の目には、今も箱から赤黒い何かが漏れ出しているように映った。

良道が座り直す。夏用の僧衣がサラと鳴った。

「君たちの〈気〉を、この箱と断ち切るためにも、経《きょう》を上げましょう」

誰も言葉を発しない。神妙な顔で良道を見詰めている。

「一晩かけて、箱と君たちを祓《はら》います」

そこでようやく真二郎が口を挟んだ。

「一晩？　親父、マジ？」

「なんだよ。嫌なのか、みんな？」

息子の不満げな声に、良道は砕けた口調で笑いながら返す。そこへスイカの乗った盆を手に、真二郎の母親、弓子《ゆみこ》が入ってきた。

「ちっちゃい頃、よく泊まってってたじゃない」

皆の顔を見回しながら、弓子が微笑む。

真二郎以外はバツが悪そうに顔を見合わせる。大人になってから友達の親に会うと、昔のことを掘り返されて照れくさいのだ。

弓子に頭を下げながら、響は思い出していた。

（旅行とか無理だったけど、ここのお寺はお泊まり出来てたな）

この本堂や僧房、真二郎の部屋等、いろいろな部屋で遊んだり、泊まったりしたが、おかしなものを見た記憶がほとんどない。

〈寺の外から悪いものは入ってこられんよ。きちんと拝んでいるから〉

良道の言っていたことが正しいという証拠なのだろう。

「ほら、混ぜご飯作ったのよー！　美優ちゃん好きだったでしょ？」

弓子が本堂の外を指し示す。寺の庫裏《くり》ではなく、自宅の方向だった。

ここでいう混ぜご飯は静岡の郷土料理である桜ご飯をアレンジした物で、味付けだけして炊き込んだご飯に、極薄味で煮た干し椎茸《しいたけ》や人参、牛蒡《ごぼう》、油揚げ、蓮根《れんこん》を混ぜ込んだものである。ここでしか食べられない弓子オリジナルの料理で、美優の大好物だった。真二郎や良道から事情を聞いた弓子の、美優を元気づけたいとの心配りだ。

「……はい」

弓子のテンションに反比例するように、美優は静かに返事をし、頷《うなず》くだけだった。あんなことがあったばかりだ。明るく対応できないことは響ですら理解出来る。

「なんで親父とお袋が嬉《うれ》しそうなんだよ！」

「いいじゃないか、なあ？」

「ねぇ」

真二郎の憤りもどこ吹く風と、夫婦は笑い合う。

「さあ、足を崩して。スイカ食べなさい」

「そうよ、遠慮しないで」

両親のやり取りにため息を吐き、真二郎がスイカに手を出す。

「いただきまーす」

それぞれがスイカを囓《かじ》る中、響だけは何も口にせず、じっと俯《うつむ》いてしまう。

「響ちゃんも」

「ほらほら遠慮しないで」

良道と弓子が勧めても、どうしても手が伸びない。伸ばせない。

アットホームな空気が苦手というのもあるが、彼らの後ろにある箱から、卵の腐ったような厭《いや》な臭いが漂ってきていたからだ。漂う香の香りすら飲み込んで、粘つくように鼻の粘膜を刺激する。ものを食べる気持ちにならない。

（お寺の中なのに）

響はじっと畳の目に視線を落とした。

夜が更け、皆それぞれ別れて眠る。

真二郎は自室。輝と美優は僧房の一室だ。響と鳴は、同じく僧房の別室を割り当てられた。子供の頃は、皆同じ部屋で枕を並べていたが、さすがに大人になった今は出来ないだろう。

照明を落とし薄暗くなった懐かしい天井を見上げながら、響は床に入っていた。

広々とした部屋は、エアコンのお陰かとても涼しく心地よかった。食欲は未《いま》だないが、自室より落ち着くような気がする。パソコンもネットもない静かな空間だから、かも知れない
ゆっくりと目を閉じると、ざわめく木々の音が鮮明に聞こえた。

寺の敷地内に樹木が多いせいだろうか。静かに呼吸をしていると、長い時間掛けて染みついた線香や香の香りを感じる。

(この香りも、懐かしい)

幼かった頃のことが不意に響の心に浮かんだ。

あの頃は訳も分からず厭なものを見て、怯《おび》えて、皆に迷惑を掛けて、鳴に叱られていた。でも、輝は庇《かば》ってくれたし、真二郎は優しく慰めてくれた。美優もたまに護《まも》ってくれた。

鳴ひとりが怒っていて、それでまた言い争いが始まったことも多々ある。

(あの頃は、みんな子供だった)

響は懐かしみながら、もう一度耳を澄ます。木々の葉擦《はず》れはやんでいた。

代わりに、カロカロと格子戸が開く音が聞こえる。

板の廊下を踏む音が近づいてきた。部屋の襖《ふすま》が静かに開く。畳の上を忍ぶような調子で足音が入ってきた。

薄目を開けると、鳴の布団の傍《そば》に立っている真二郎の背中が見える。

ミシ、と畳が鳴って、真二郎の身体が鳴の布団の中に入り込んでいく。

寝息が止まった。

「はぁ?」

非難めいた鳴の短い声。

「来ちゃった」

どこか嬉しそうな真二郎の答えに、鳴が言い返す。

「バカじゃん……。こんな時に……」

呆《あき》れたような言葉の裏に、含みがあった。

「……いいじゃん」

「あんた、絶対お坊さんになれないよ」

呆れ果てたような鳴の言葉を無視し、人間と布団が擦《す》れる小さな音が始まる。

伝わってくる含み笑いに響は固く目を閉じ、何も考えまいとした。

鳴の深い吐息と、拒絶の言葉が漏れる。

「やめてよ……やめて……」

それでも真二郎の短く、荒い息が続く。

「……響いるから！」

思い出したように、鳴が鋭く声を放つ。

「寝てるよ」

それすら物ともしない真二郎に、響は耳を疑った。

前に二人が付き合っていたことは知っている。でも、こんなのは違う。言いようのない嫌悪感が湧き起こった。生々しい男女の睦言《むつごと》を聞かされたせいか。それとも鳴と真二郎の物言いに、薄汚れた大人を感じさせられたからなのか。

考えることをやめ、響は布団から出る。

二人の動きが止まるのを横目に、廊下へ出た。後ろから鳴の「バカ」という声が聞こえたが、振り返りたくなかった。

暗い廊下をあてもなく渡りながら、響は鳴と真二郎のことを改めて考えた。

冷静に考えれば、大人同士なのだから、ああいう行為をしても構わない。しかし、他者がいることを知りながら、ことに及ぶのは真っ当ではない。

鳴に対してではなく、真二郎に幻滅をしてしまう自分に、響は戸惑う。

（……なんで、ガッカリしているんだろう）

昔から思いやりが深い真二郎は、尊敬に値する人物だった。

見た目や言動は不真面目だったけれど、それは彼なりの照れ隠しもあったのではないか。

「俺はほら、バカだし」と自虐しながら、人を思いやれる彼の優しさは、周りの沢山の人を救ってきたと思う。

自分が学校を辞める前後も、よく家に来たり、寺や自宅へ呼んで元気づけてくれた。

思い返してみると、真二郎はその時にひと言も「頑張れ」「元気出せ」のような意味の言葉を発していない。ただ近くにいて、楽しく話をしてくれただけだ。

例えば、自身のバンドやギターのこと。

「俺さあ、ギター下手クソなんだよ。コード押さえようとしたら指攣《つ》りそうになるし、ソロを弾《ひ》こうとしたら、薬指が死にかけるし。バンドのお荷物ってヤツ？」

彼は笑いながら左手をこちらに向けて、薬指を曲げた。小指も釣られて動く。

「薬指ってさ、手の中で一番使わない指なんだ」

だから汚れていない指であり、化粧や薬の調合のときに使う。よって薬指。しかも化粧の本質は変身であり、神降ろしや神がかりを意味する。薬指は神秘性があるのだ、と豆知識を披露して真二郎は微笑んだ。

「でも、本当はさぁ、薬指って名前を、口にしちゃいけないんだってよ」

昔の日本では、薬指の名を呼ぶと呪術性が薄れ、薬も化粧も効果がなくなると信じられていた。そのため〈ななしのゆび〉〈無名指《むみょうし》〉と称し、その名を直接呼ばずに呪力を保つよう注意を払っていたという。

「それくらい、特別な指ってことなんだな。薬指は。って、こういう話、響は好きでしょ？　前、親父から聞いたときにそう思ってさ、俺、覚えておいた」

笑う真二郎の顔は、本当に輝いていたし、将来は立派なお坊さんになれる資質があると何となく感じていた。

（ななし、か）

あの日のことを思い出しながら、響は顔の前で左手の薬指を動かしてみる。やはり、小指が付いてくる。

力なく手を下げたとき、足下で何かが動いた。

赤黒い何か、だった。それはすぐに薄れて消えた。

突然、今日ここへ泊まっていた理由を思い出す。

（どうして忘れていたの）

顔を上げた瞬間、廊下全体に重い空気が満ちていることに気がつく。何かの圧を受けているように息が吸いづらい。硫黄《いおう》の臭いが若干混じっている。

身体が警戒を始めた。厭な気配を肌で感じる。

いずこからか、良道の経が漏れ聞こえてきた。本堂で寝ずの行をしているはずだ。

いろいろなものから逃れるように響は本堂を目指した。

近づくほどに、良道の声は明瞭さを増す。

本堂入り口に辿《たど》り着いた。障子越しに、灯《あか》りが揺れている。

静かに戸を開け作った隙間から、中を窺《うかが》った。

最初に目に入ったのは、激しい護摩《ごま》の炎だった。

組まれた護摩壇の上で紅蓮の炎が燃えさかっている。天井どころか、辺り一面を焦《こ》がさんばかりだ。

良道の身体が僅《わず》かに揺れていた。

背中越しで見えないが、多分、指を複雑に絡ませる〈印〉を結んでいるのだろう。以前、真二郎が見せてくれた。「俺が坊主になった後、親父から教えてもらった〝印〟なんだけど、俺、不器用で、薬指がさぁ。本当は人に見せてはいけないって言うけど、響には特別だ」と言いながら、両手を次々に複雑な形に組んでいく姿を思い出した。

良道の低く澄んだ声明《しょうみょう》は、天に舞うように、地を這《は》うように、周囲に響き渡る。

時々、短い呪文のような経が繰り返され、汗が飛んだ。真言《しんごん》、だ。

護摩壇の前に、あの箱が置かれているのにようやく気がついた。

一瞬、静かになった後、良道は何かを手に取る。長方形のそれは経文だ。お経の書かれた蛇腹本を開いては閉じ、閉じては開いてを繰り返す。

何度目だったろうか。経文が音もなく破れて、床へ落ちた。

そして手に掛けていた念珠が千切れ、珠が床へ散らばり、転がった。

堂内の空気が一変する。

良道は経文も念珠も無視し、再び経を唱え始めた。

そうするのが最善であると言わんばかりに。

だが、響の目には箱から何かが大量に漏れ出すのが見えた。

と、同じくして護摩の炎を避けるように、何かが蠢《うごめ》いた。

人の形と大きさをしていた。

十数人はいる。老若男女、性別も年齢もバラバラ。しかし、ひと目でこの世の者ではないと分かる。輪郭がぼやけている。

その亡者どもは炎から身を遠ざけるようにして良道の周りに集り、身を捩《よじ》っている。

着ている物は粗末だ。

しかし、それよりも目立つ特徴があった。

誰ひとりとしてまともに五体が揃っていないのだ。袖や裾から出ているはずの腕や足が足りない。目が潰れている。鼻がない。耳が削《そ》がれている。骨格が歪《ゆが》み、口が真横を向いている――。

五体が揃った者は揃った者で、背中が曲がっているか、下腹が飛び出していた。

そしてどれも、ぎこちない動きを繰り返していた。

ふうっ、と無意識に響の口から呼吸が漏れる。

それが合図になったかのように、亡者どもの顔が一斉に響の方を向く。

(――だめ)

反射的に響はその場を逃げ出した。

堅い板の廊下を蹴り、裸足のまま境内へ飛び出す――が、その足が止まった。

そこには、本堂と同じくらい、いや、それよりも多い亡者らが蠢いている。

つ、と足首に冷たいものが触れた。

恐る恐る、視線を下へ向ける。

地面に蹲《うずくま》る亡者の手が、響の足を摑《つか》んでいる。

亡者はその手を離すと、躙り寄るように縋《すが》り付いてくる。

長い髪。華奢《きゃしゃ》な肩。女だろうか。顔を伏せたまま、両腕を伸ばしてきた。その片方の手には、指が一本足りない。

響は動けなくなる。亡者の女が、つい、と顔を上げ――かけた刹那、左肩が摑まれた。

悲鳴を上げながら、咄嗟《とっさ》に振り返る。

鳴の顔があった。

「なにッ?」

彼女は驚いた目で響を見詰めている。

「どうしたの……?」

姉の問いに答えず、足下を見た。もう、亡者はいない。

境内へ視線を巡らせる。どこにも、何もいない。

ほっとすると同時に足から力が抜け、その場にへたり込んだ。

「……響?」

しゃがみ込んだ鳴が、顔を覗《のぞ》き込んでくる。彼女には何も見えていなかったのだ。

(説明しても、多分、信じない。お姉ちゃんのことだから)

突然、震えが止まらなくなった。全身が汗で濡《ぬ》れ、冷え切っていた。

「ほら、着替えるよ」

鳴に手を引かれて、境内を後にする。

本堂で見たあの光景。そして境内の亡者。あれは一体なんだったのか。やはり、箱か。

箱が……考え込む響に向かって、鳴がそっと謝った。

「さっきは、ごめん」

しかし、響の心の中は、あの箱のことでいっぱいとなり、姉の謝罪も耳に入らなかった。

第十章　侵入 ―― 天沢 響

湿り気を含んだ微風が、草と木の匂いを運んでくる。

濃い緑を湛《たた》えた木々がすぐ傍《そば》まで迫ってきていた。

空を見上げれば、甲高い鳴き声の鳥が枝葉の隙間を抜け、頭上を越えて消えていった。

響は今、青木ヶ原樹海の入り口にいる。目の前には白い立て看板があった。

〈命は親からいただいた大切なものです。もう一度、心静かに両親や兄弟、子供のことを考えてみましょう〉

家族。両親。兄弟。祖父母。親と姉。

（ママ、お姉ちゃん……）

看板から目を離そうとしたとき、誰かが傍にやって来た。

「ジーニー、グミ食べる?」

響をハンドルネームで呼びながら菓子をくれたのは、〈ド腐れゾンビ〉と名乗る、眼鏡を掛けたふくよかな女性だ。自分より二つ上だが、それより年嵩《としかさ》に感じる。ただ、声は良く通るし、可愛らしいトーンだ。フリーターだという。

「……ありがと」

礼を伝えながら、目を逸《そ》らした。

少し離れた場所に、背中をこちらへ向けた男が二人立っている。

何度か振り返り、チラチラとこちらを値踏みするような目で盗み見ていた。

カメラを持っている眼鏡が〈ピル男〉、薬学部に在籍する大学生。ナップザックの男が〈ラジオヘッド〉で、農業に従事しているとのことだった。

初対面の時からラジオヘッドは馴《な》れ馴れしく、ピル男はその横でニヤニヤ笑いながら、じっとこちらをチェックするような視線を送ってきていた。正直、どちらにもあまり良い印象はない。

二人がまたこちらを振り返る。その頭を小突いて何ごとか注意したのは、帽子を目深《まぶか》に被《かぶ》った中年女性だ。

ハンドルネームは〈昼顔〉で、主婦である。どことなく姉御肌を感じさせる。

そこへ、男性が近寄ってきた。

全身を登山用の装備で身を包んだ中年男性で、彼が樹海村とコメントした〈タルピオット〉だった。トレーダーを生業にしていると自己紹介しており、何ごとも仕切りたがるタイプだとすぐに理解出来た。

「きみたち、行くぞ。ついてきなさい」

タルピオットが先頭に立ち、木々の合間へ入っていく。

気怠《けだる》そうに返事をしたのは、ラジオヘッドだった。ピル男が振り返る。

「ジーニー、足下気をつけてね、滑るから」

粘つくような口調が、響の癇《かん》に障《さわ》る。返事もせず、彼女は樹海へ一歩、歩を進めた。


寺での祈祷《きとう》から数日が過ぎている。

その間、アキナの動画視聴の常連たちと何度かやり取りをし、結果、こうして樹海内に足を踏み入れることになった。

彼らの目的はひとつ。

アキナの消息を探り、可能なら救助する、だ。

「アッキーナがいなくなったら探してくれと言っていたから」と主張するのはタルピオットである。もちろん警察に身の潔白を証明する為だとも言っていたが、彼以外の人間にとってはオフ会的な意味の方が強いようだ。

(警察のアキナ捜索隊と鉢合わせしそう)

冷静に考える響であったが、自身がここへ来た理由は他にある。下見をし、どうしても確かめなくてはならないことのため、だ。それに、以前から自分は樹海へ行かなくてはいけない、と言う強い思いがずっと頭の隅に貼り付いている。そう。輝と美優の家に行かなくてはいけないと感じたのと同じように。

何故《なぜ》そんな気持ちを抱くのか。自身では理解している。しかし——。

「ここ、気をつけなさい。滑るぞ」

タルピオットが地面を指差す。

「はいはい。地図載ってんの？　この道」

不満げなピル男の口が止まらない。

「そもそもさー、タルピオットの言う、樹海村ってなによ?」

「うむ。樹海村というのはな」

タルピオット曰《いわ》く、樹海村とは自殺に来た人間たちの中で〈死にきれず、さりとて社会復帰も出来ない人間がそのまま青木ヶ原樹海に集落を作って住み着いた村〉であるらしい。

「アッキーナ探索と共に、樹海村も探そうではないか」

仰々しいタルピオットの演説に、ピル男は馬鹿にしたように嗤《わら》う。

「それ、ほら、ネットの都市伝説サイトの受け売りじゃん。けっこー昔、話題になったさぁ、オカルト雑誌が好むような、手垢《てあか》の付いた都市伝説」

タルピオットがムッとした顔を浮かべるが、意に介せずピル男は続ける。

「よく考えてみてよ？　こんなところで人間らしい生活、出来る？　出来ないとボカァ思うね。そもそも自殺に来るようなメンタルが弱い人間は、過酷な自然の中で生きられないんじゃね？　そうでしょ？」

タルピオットは首を振った。

「樹海はコンパスもGPSも効かない、魔の森だ。事実、アッキーナもそうだった。人の理など覆す出来事すら起こりうる場所と、僕は考えるのだがね」

ド腐れゾンビが神妙な顔で同意するように頷《うなず》いた。ピル男は納得がいかない様子で反論を加えてくる。

「アッキーナのあれってさ、仕込みだったんじゃないのかね？　後から出てこようと思ったけど、先に警察が動いちゃって、出るに出られなくなったとか。炎上必死じゃん。これだけ騒ぎになったんじゃ」

ラジオヘッドも参戦してくる。

「コンパスとGPS、ね」

したり顔で長々と解説が始まった。

「コンパスが効かなくなるの、ただの伝説らしいじゃん。磁鉄鉱《じてっこう》って磁力を持つ鉱物を含む岩石に針が引っ張られるだけの話で、それこそ岩の上とか地面に置かないと、そうなんないよ。よしんば立った状態でコンパスに影響があるくらいの磁力が地面から出ているとしたらさ、人体どころか、この辺りの動植物にも影響出まくりっしょ？　ある？　ないよね？　それにGPSが遮断されることくらい、たまにあるし。それと同じ。今さ、農業の機械もGPSで制御して無人で作業を進められる……って、これは関係ないか」

馬鹿にするような笑みを、ラジオヘッドはタルピオットへ向けた。

「もういいよ。ほら、アッキーナを探しに行くよ。樹海村は……まあついでに」

昼顔の号令に、ピル男とラジオヘッドが間延びした返事を返す。タルピオットは無言で足を運び始めた。

ピル男とラジオヘッドの会話の内容は、響も知っている。

事実、樹海の伝説は否定されることが多い。しかし、それが全てではないと彼女は思う。

（だって）

進行方向へ目を向ける。

重なる樹木の向こうはやけに静かで、それが余計に響の不穏な予兆を深めていった。


どれくらい歩いただろう。

響は爪先に少し痛みを感じ始めていた。高校を辞めてから歩くことがめっきり減っているせいか、足の筋肉も弱っているようだ。

「待って……待ってよ……！」

遅れているド腐れゾンビが、悲鳴に似た声を上げる。

「っせーなもう！　喋《しゃべ》る元気あるなら歩く！」

そういうピル男の顔にも疲れが滲み始めていた。

「……迷ってないよね？」

不安げな言葉の主は、昼顔だ。帽子から覗《のぞ》く顔に汗が流れている。

残りの人間も疲労感に包まれ始めていた。

青木ヶ原樹海は元々溶岩流によって出来た大地の上にある。

高低差は少ないが、凝固する際生じた凹凸が地表に広がっており、加えて、樹木の根の多くは溶岩に阻まれ、地面表層部分を這《は》うようにして伸びている。

これらのせいで歩きづらく、膝《ひざ》や足首に負担が掛かり、バランスを取るため全身の筋肉も使う。当然、体力の消耗は激しい。

弾《はず》む息の中、響は後ろからの視線を感じた。振り返るが、ド腐れゾンビではない。彼女は必死に歩いており、他者へ意識を向ける余裕すらない。

（どこ？）

立ち止まり、周囲を確認しても、自分たち以外には誰もいない。

気のせいではないことだけは確かだ。

仕切り直ししようと顔に流れる汗を拭った時、足下で何かがざわめいた。

視線を落とせば、頭上から落ちる梢《こずえ》の影がそこにある。

それが四方から伸ばされた人の腕、手のように響には見える。

（なんで？）

咄嗟《とっさ》に振り仰ぐ。

樹海の枝が揺れている。ただそれだけだ。腕の形をしたものはない。

先頭を行くタルピオットの声で我に返る。

「穴に落ちんなよ」

「穴？」

ラジオヘッドが顔を下へ向けた。

後を継いで、昼顔が補足説明を始める。

「樹海の下は洞窟になってるって話、知らないの？」

「はぁ？」

生返事のラジオヘッドに、昼顔が呆《あき》れたように続ける。

「ほら、ここってさ、富士山が噴火した時の溶岩が地盤だから……」

響は自分で調べていた樹海のことを思い出した。溶岩流の表面が固まり、中からまだ溶けていない溶岩が抜けて空洞化する。だから、樹海の地下は穴だらけなのだ。確かにさっき、地面に開いた穴を幾つか見かけた。深く大きな窪《くぼ》みもあった。また溶岩が固まって出来た土壌はガラス質を多く含み、転ぶと皮膚を切りやすい。樹海は怪我《けが》を増やす条件に溢《あふ》れていた。ネットや本では分からない、実際に行かないと体感できないことだ。

突然、タルピオットが語り出す。

「当時、何万何千という人間が生き埋めになった。彼らは今でも下に埋まっている」

貞観《じょうがん》大噴火や宝永《ほうえい》大噴火で死者が出た事実は、響もそれなりに理解している。詳細な人数までは把握出来ていないが、それなりの被害があった。更に降灰により土地や作物へのダメージは甚大で、長く尾を引いた。

タルピオットは静かに地面へ向け手を合わせ、頭《こうべ》を垂れながら続けた。

「その昔、この原生林の一帯にあったセノ海という湖は、富士の噴火で流れ出た溶岩によって……」

「邪魔だよ……」

「オメーうっせーって、マジで」

ラジオヘッドとピル男がタルピオットを邪険にし、先へ進み出す。

「おい、聞きなさい！　おい！　聞けって！」

追ってくるタルピオットへ向けて、彼らは文句をぶつけた。

「タルピオット、マジで道あってんのかよ」

タルピオットは自信満々で頷いた。

「もうすぐ、樹海の中心部だ」

それでもピル男は不満を漏らす。

「さっきからそればっかじゃねえかよ、マジで」

不毛なやり取りのすぐ横で、響の身体に変化が起こり始めていた。

背骨を中心に、へばり付くような悪寒が襲ってきている。

（……なに？）

周りから、何かが見ている。物珍しそうに……違う。悪意を持って、値踏みするように、こちらを、ずっと。さっきのピル男たちの目とは違う、それよりも邪《よこしま》な圧を伴って。

足から力が抜け落ちた。

思わず傍にある枝に手を掛ける。が、軽々と折れ、地面へ落ちていく。

足下に転がるそれを目にした響の呼吸が一瞬止まりかけた。

そこにあるものは、枝ではない。枝の色をした人の腕だった。朽ち果てかけているのか、指が一本欠落している。

恐れ慄《おのの》く中、腕は空気に溶けるように消えた。

響はただ、その場に立ち尽くすしか出来なかった。

それからも、一行は終わらない森の中を彷徨《さまよ》い、歩き続けた。

アキナの配信動画アーカイブから割り出したルートを進んでいるはずなのだが、彼女の痕跡はひとつも見つからない。

「ねーねー、ジーニーってさ、本物の死体見たことある？」

汗で汚れた顔で、ラジオヘッドが唐突に訊いてくる。

「あのねぇ、自殺者の遺体って、奥の方にはあんまないんだって。どっちかというと遊歩道近くによくあるんだってさー。遺体を見たけりゃ、遊歩道沿いの近くを探せ、ってね」

疲れるやり取りはしたくない。響は無言で一瞥《いちべつ》するに留めた。

「オメー、なに言ってんだよ！ ね、ジーニー、人が死ぬトコは見たことある？」

ピル男が響の肩に腕を回そうと触れてきた。鳥肌が立ち、咄嗟に突き飛ばす。

よろけた彼が踏んだ場所が崩れ、ぱっくりと大きな口を開いた。

「あ痛っ、いったー！」

野太い悲鳴が辺りに轟《とどろ》き渡った。

広がった大きな穴の縁からピル男が上半身を出し、呻《うめ》きながらもがいている。

「危なッ！」

ラジオヘッドはピル男の近くから飛び退いた。

「だから、気を付けろって言ったんだ！」

叱るような口調と共に、タルピオットはピル男の腕を取り、引き上げようとする。が、地中で木の根か何かに足が引っかかっているのか、なかなか上がって来られない。

「ごめんなさい」

響は素直に謝った。例え失礼なことをされたとしても、非が自分にあったからだ。

「人の話を聞かないからだ」

助け船のように口を挟むタルピオットに、ピル男が泣きそうな声で訴える。

「いいから早く助けろよ！　もう」

穴の中へ目を凝らすと、ピル男の足に太めの根が絡みついているのが分かった。地表をかろうじて逃れた樹木の根がそれなりに張り巡らされているのだろう。

皆でピル男の足に纏《まと》わり付いた根に手を伸ばした。

だが、それらは手の先から逃げるように動いた。あろうことか意思を持ったように、更にピル男の足に喰い込んでいく。どことなく大蛇の動きを思わせた。

唖然《あぜん》とする響に向かって、茶色い根たちが一斉に伸び上がってくる。

根は、人の腕の形をしていた。

先端に付いた手は、どこか歪《いびつ》だ。分かった。指が足りない。目立たない指が、一本だけ、足りない。

手の集団は、響を捕らえようとしている。視界が狭まった。危険を察知し、本能で走り出す。ここから逃れなくてはならない。

周りで誰かがジーニーと呼ぶ。続けて、どうしたの？　と問いかけて来る。何を言ったんだと詰《なじ》る声に、知らねぇという答える声が被さる。

それら全てを振り払い、響は走った。

がむしゃらに、何も考えず、何も感じないように。森の隙間を縫って、転びそうになりながらも走り続けた。

目の前に広がる木々の切れ間に、明るい場所を見つける。

(あそこへ行けば、大丈夫だ)

何の根拠もない思考に支配され、響はそこから転がるように飛び出した。

手と膝の下に、固く、平坦なアスファルトの感触が伝わる。

舗装された道路の上で、荒い息を繰り返す。吐けるが、吸いづらい。心臓が早鐘のように打っている。

後ろを振り向く前に、右横から何かの気配が伝わってきた。

咄嗟に顔を向ける。

一台の車が停まっている。シルバーの車体が夏の陽光の中で浮き上がって見えた。

運転席に、年老いた厳つい顔の男性が座っており、こちらを見詰めている。

交わす視線の中、男性が車から降りようとする。

この人から逃れないといけない。そんな気がする。明白な理由はない。

響は疲れ果てた身体を鼓舞して立ち上がり、全速力で道路を駆けた。

相手は追ってこない。

しかし安心出来ない。止まれば、捕まる。捕まって……。
（捕まって……なに？）
長い間走った後、響は立ち止まり、空を見上げた。
蒼すぎて、目が痛い。響は一度目を閉じる。
弾《はず》む息を抑えるように、深く深く、息を吐いた。そして唐突に理解した。
影の腕。枝のような腕。
薬指がない手を持つあの根は、響に対する確実な敵意があった。
再び樹海へ入ればどうなるか、簡単に分かる。
（……私は、樹海には、もう）
響の顔に、言い難い表情が浮かんだ。

（……昏《くら》い）
そう、響は夢の中で思う。そう。今、自分が夢の中だと自覚している。明晰夢《めいせきむ》だ。
どうして昏いのか。分からない。ただ、昏い世界がある。
ふと、目が覚めた。薄暗い、見慣れた自室の天井が視界に入る。
響はあのまま樹海から逃げ帰って来た。
アキナの動画の常連たちがその後どうなったのか、知らない。帰ってから、一度もパソコンを点《つ》けていない。スマートフォンもガラケーも持っていないから、そちらへ連絡が来ることもない。薄情だが、逃げ帰った事実を押し殺して、早めに寝た。

(どれくらい眠っていたんだろう)

まだ深い時間ではなさそうだ。階下では家族の気配が動いている。

暗がりの中、天井を見上げながら響は樹海内部を思い出す。

あそこは異様な空間だった。奥へ分け入れば分け入るほど、空気も何もかもおかしくなっていく。事実、響は根が変化した手を見た。それは何者かの意図——響を捕まえて、樹海から二度と出られなくしてやる、あるいは樹海へもう入ってくるなという一方的な警告、強い拒絶が感じられた。

(……どうしたらいいの?)

簡単には考えつかない。頭と身体がまだ疲れているせいだろうか。休まないといけない。

そっと目を閉じかけたとき、異変に気付く。

部屋の中で聞き慣れない音が響いている。

フローリングに、固い木の積み木が連続でぶつかるような。

音の方向へ顔を向けた。一気に目が開く。

机の上に、箱があった。

あの、呪いの箱。真二郎の寺に預けることになった、箱。

古びた寄せ木細工の、薄汚れて穴の開いた節が目立つあの箱だ。

無意識に身体を起こし、這うように机へ近づいた。

箱の表面に、黒く細長い虫が這っていた。足と体節が沢山ある長い虫、ヤスデだ。その動きの反動で箱そのものが揺れ、底が机の天板に当たり音を立てている。古び、乾燥しているとはいえ、あの大きさだ。小さな虫が表面で動いているだけで動くものか。普通ならそんなことは起こらない。

ヤスデは、箱に開いた節の穴へ頭を突っ込んだ。

節の奥がこんなに深かったか、覚えていない。

沢山の足を器用に使い、虫は箱の奥へ入り込んでいく。

が、途中で動きを止めた。そしてすぐ、もがくように身をくねらせ始める。

穴の奥で、液体入りカプセルが潰れるような音が聞こえた。そして、ヤスデの身体が穴の中へ飲み込まれていく。

最後の体節が消えた後、穴からトロリとした汁が一筋流れた。

突然、蓋《ふた》が膨らみ、ゆったりと曲がるように変形していく。そして、上へ弾け飛んだ。

箱の中が顕《あら》わになる。恐る恐る覗き込んだ。

思ったよりも狭い四角い箱の口の中には、液体が満たされていた。粘度が高そうな赤黒い汁だ。その表面に、何かが複数浮いている。

幾分白みが強い、ペールオレンジの——ジェリービーンズに見えた。いや、カブトムシの幼虫やその類いと言った方が近いだろうか。

はっ、と響は息を呑《の》む。

違う。ジェリービーンズでも、幼虫でもない。

人の指だ。

形と太さから言えば、親指や小指以外の部位だと思う。付け根の部分は液体に浸かり、見えない。どうなっているか分からない。

そこへ更に小さな指が、鍋の具のように、ぽこりと浮いてきた。

大きさから言って、どう見ても赤ん坊の指だった。

動いている。蠢《うごめ》いている。たった今、切り取ったかのようだ。

見たくないはずなのに、まるで魅入られたように視線が外せない。

中に浮く指たちを押しのけるようにして、新たに何か大きなものが浮上してくる。

曲玉《まがたま》のように丸まったそれは、胎児だった。

まだ母親の胎内で、人の形になりかけの、未熟な、赤い。

響は、悲鳴を上げた——。

そこで目が覚めた。汗みずくで天井を見上げている。

（また、夢）
今のは夢だと気づけなかった。完全に現実だと思っていた。
昏い世界から起きたことも、今見たものも、全て夢だったのだ。
身体から力が抜ける。全身が汗で濡《ぬ》れて冷たい。
まだ夜は明けていなかった。部屋の中は薄暗く、静かだ。
下から家族の生活音が微《かす》かに伝わってくる。
ふと、机の方向へ顔を向ける。そこには何も載っていない。
樹海。箱。虫。指。胎児……。
ああ、そうか。頭の中にこれからすべきことの回答が浮かんだ。
暗がりの中、響はゆっくりと身体を起こした。

第十一章 不幸 ―― 天沢 鳴

白い廊下を踏む足が重い。

窓の外は快晴なのに、ここはなんだか薄暗く感じる。消毒液の臭いが鬱陶《うっとう》しくて、鳴は思わず短く息を吐いた。

後ろから無言で輝と美優がついてくる。最後尾は妹の響だ。

(厭《いや》な場所だ)

鳴は、この総合病院が嫌いだった。良い思い出がないからだ。

廊下の一番奥、ようやく辿《たど》り着いた病室はひとり部屋である。

病室のネームプレートには〈鷲尾　真二郎〉とある。

一度目を閉じ、姿勢を正してから、鳴は扉をノックする。

応《こた》えの代わりにドアが開いた。隙間から外を窺《うかが》うように顔を出したのは、真二郎の母、弓子である。その顔は疲れ果て、窶《やつ》れて見えた。

「おばさん……」

やっとの思いで声を絞り出した鳴を、弓子が抱きしめる。

「鳴ちゃん、有難う……有難う……」

後ろから、輝が声を掛ける。

「あの……おじさんのこと、聞きました。……なんて言っていいか……」

弓子は鳴から身体を離し、顔を背けながら病室のドアを大きく開いた。

「さ、どうぞ……」

輝が美優と鳴と視線を交わし、意を決した様子で中へ入る。

振り返ると、響は病室の入り口でまごついている。無理もない。あんなことがあったのだから、ショックを受けていても仕方がない、と鳴は理解を示した。

真二郎の実家が火事で燃えた。数日前のことだ。それで、住職である良道が亡くなった。

視線を前に向けると、弓子がカーテンを開けるところだった。

白っぽい部屋のベッドで、全身包帯姿で寝ている真二郎の姿が目に入る。

「真二郎……真二郎。みんな来てくれたわよ……」

弓子の呼びかけに、彼は薄く目を開けた。

皆、黙ったままその顔を見守っている。

「……よぉ」

絞り出すような真二郎の声に、鳴は泣きそうなりながら、その名を呼んだ。

「真二郎……」

ちゃんと生きている。意識もある。不幸中の幸いを神に感謝した。

「よぉ……大丈夫か?」

輝の言葉が終わるか終わらないうちに、強いノックの音が響く。

二人の男が開かれたドアの外に立っていた。

ひとりの手に革製のビジネスバッグが握られている。

「失礼します」

男たちは軽く一礼し、無遠慮に中へ入ってくる。嫌な感じだ。

それぞれ三十代前半くらいか。真っ直ぐな背筋でどこか威圧感がある男たちだ。が、見覚えはない。真二郎の親戚か何かだろうか。

男たちに弓子は深々と頭を下げ、そして皆に紹介した。

「刑事さん」

刑事たちは会釈し、再び姿勢を正した。

「お二人に見ていただきたいものがありまして」

刑事のひとりが、弓子と真二郎を交互に見る。

「あの。真鍋《まなべ》さん……」

弓子が鳴たちの顔を窺いながら訊《たず》ねた。

真鍋ではない方の刑事が、静かに言葉を発する。

「失礼ですが……皆さん、席を外していただけますか？」

「あの……構いません」

蚊の鳴くような声で、真二郎が刑事たちを止める。

幼なじみだから大丈夫だ、とでも言いたいのだろうが、今の真二郎に長い会話は難しいようだった。

「そうですが……おい、北村《きたむら》」

真鍋が指示を飛ばすと、北村と呼ばれた刑事が懐から小さなビニール袋を取り出した。

「これが現場で発見されました」

煤《すす》で汚れた、小さな四角い物体を目にしたとき、鳴は息が止まるかと思った。

それは、輝から返されたジッポだった。

ただし、それは何日も前になくなっている。自室の棚に置いていたはずなのに、知らぬ間に姿を消していた。気付いたのは、響が珍しく外出した日の夜――。

（まさか）

あの日のことを、鳴は思い出す。

夕刻、泥だらけで帰ってきた響は早めに寝ると言って、シャワーを浴びた後に自室へ入った。疲れ切った様子だった。

鳴がお風呂に入って部屋へ戻ったのは、午後十時半くらいか。換気のため開け放した窓から風が吹き込んでいた。

窓枠に腰掛け、アルミ缶の発泡酒を飲んでいると、壁に下げたインスタントカメラの写真が一枚落ちた。拾い上げると真二郎の映ったものだった。なんだか嫌だな、虫の知らせみたいだなと思いながら、元へ戻そうとしたときだ。

傍《そば》にある棚から、ジッポが消えているのに気付いた。

何かの弾《はず》みで落ちたのかと探したけれど、どこにもない。

その時、近づいてくる消防車のサイレンが聞こえてきた。

何故《なぜ》か、言いようのない不安が声になって喉の奥からせり出しそうになった。

窓から身を乗り出し眺めた先の空が、赤く染まっている。その下から、夜空より黒い煙がもうもうと上がっている。

真二郎の家、お寺がある方角だった。

寝間着のまま鳴は階下へおり、外へ飛び出した。真二郎の家は、全力で走れば十分かからない距離だ。しかし、気の焦《あせ》りからかそれより長い時間が掛かったように感じられる。

やっと辿り着いた先には、我が目を疑う光景があった。

寺が燃えている。炎が辺りを紅く染め上げていた。空を焦《こ》がすような勢いだった。周りは多数の消防車や野次馬でごった返している。喧噪の中、本堂が最初に、と聞こえた。消防士が、誰かを止めていた。弓子おばさんだった。会合か何かで出掛けていて難を逃れた、と知ったのは何時だったたか。

弓子おばさんは夫と息子の名を叫んでいた。

少して輝が来て、彼から、響は？　と訊《き》かれた。知らないと答えた——。


鳴は顔を上げる。

ジッポはその日のいつからなかった？　夕食の前にはあった。見た記憶がある。お風呂に入る前にも、あった。

消えたのは、その後だ。

美優の目が、輝へ向けられている。輝はその視線の意味を察し、鳴の方を見た。

（まさか、まさか——）

慄く鳴をよそに、真鍋は北村のバッグからタブレットを取り出した。

何度かタップを繰り返し、弓子と、ベッドに寝たきりの真二郎に画面を向ける。

「それと、これはそちらのお寺の監視カメラの映像で——火事の晩です」

映し出されていたのは、想像よりクリアな防犯カメラの映像だった。

全員の目がタブレットに注がれた。

本堂入り口付近であることは、鳴にも分かる。見覚えがある。

そこへ内部から人影がフレームインしてきた。

小柄だ。背中をこちらへ向けている。

手には小さな重箱くらいの四角い物があった。よく見れば、近くに樹脂製の灯油タンクが用意されていた。

更に鳴は目を凝らす。

四角い物は、お寺に預けたあの——箱に似ていた。

本堂入り口にその箱らしき物が置かれ、タンクに入った液体がたっぷりと掛けられた。

そして、その人物はポケットから小さなものを取りだし、不慣れな手つきで何かをしている。

ジッポライターを擦《す》っていた。火が点《つ》くと、そのまま箱めがけて、ライターを落とした。

一気に炎が立ち上る。辺りが明るく照らされる。

燃えさかる炎をバックに、その人物が振り返った。

一瞬だったが、照り返しで、顔がハッキリと映っている。

鳴は思わず真二郎を振り返る。その目が大きく見開かれたのを、見逃さなかった。

火を点けたのは、若い女だ。

鳴は、その顔を知っている。誰よりも、身近な人間の顔だった。

(響——!)

輝も美優も動揺のあまり、ただその場で立ちすくむ。
やっとの思いで、鳴は妹の方へ顔を向けた。
病室の隅で響が俯《うつむ》いている。
何かを言わなくては。でも、何も言葉が出てこない。
響が顔を上げた。
なんの表情もない。
その目は、部屋にある窓を向いている。中にいる誰も見ていない。
この世界への興味をなくした顔だ、と鳴は思った。

響へ向けて、刑事二人がゆっくりと近づいていった。

第十二章 喪心 ―― 天沢 鳴

日が差し込む部屋は、明るさに反比例するように空気が張り詰めている。

低い音を立てて、エアコンが唸《うな》った。風は温《ぬる》かった。

中央に設《しつら》えられたテーブルを挟み、鳴は祖母の唯子と共に医師と面談していた。

「響さんの診断の結果ですが」

胸のネームプレートには、野尻雄二《のじりゆうじ》と印字されている。

見た目は四十代前半くらいで、恰幅《かっぷく》が良い。穏やかそうな丸い顔だが、目が笑っていなかった。

「……統合失調症と見受けられます」

含みも何もない、ストレートな物言いだった。総合病院の精神科医らしい、薄らとした居丈高さが滲んでいる。

「統合失調症……!?」

唯子の言葉に、野尻は鷹揚に頷《うなず》いた。

「幻覚や妄想という症状が特徴的な精神疾患です」

鳴は酷《ひど》く驚いた。いや、なんとなくそうではないかという予感はあったが、こうして病名を告げられると否定もしたくなる。

「響さん、おかしなことを言ったり、そこにあるはずのない物が見えたり聞こえたりといったことがありませんでしたか?」

野尻の問いに、訥々《とつとつ》と唯子が言葉を連ねる。

「小さい頃から、変わった子でした……。あの子、修学旅行に行くのをひどく嫌がって」

修学旅行だけではなく、林間学校や県の宿泊研修なども全てでした、と野尻に伝える。

彼は僅《わず》かに首を傾《かし》げた。唯子は何かを思い出し、言い添える。

「でも、一度、高校生の頃、修学旅行へ参加しました。珍しく自分で行きたいって言って。でも、痙攣《けいれん》を起こして倒れた、って……」

何も言わず、野尻は頷いている。

「それから、学校にも行かなくなって……」

鳴も覚えている。響が高校の頃の話だ。この時、京都に修学旅行に出掛けてトラブルを起こし、それから不登校になり、学校を辞めた。

野尻が口を開いた。

「あの……響さん、しきりに箱のことを口にしています」

鳴はギョッとする。

箱。多分、本堂に安置されていたあの箱のことを妹は言っている。彼女が盗み出し、灯油を掛けて焼いた、あの箱だ。その際に上がった炎が原因となり、結果、寺は燃え、真二郎のお父さんが亡くなり、真二郎本人も重傷を負った。

(何故《なぜ》、未《いま》だに箱のことを……?)

もうなくなったはずだ。鳴の動揺を野尻は見逃さなかった。

「お姉さん、何か思い当たる節が?」

「えっ、いや……」

ごまかしても野尻の目は離れない。心の裡《うち》を探るような無遠慮さがある。それは職業柄なのか、それとも彼自身の悪癖なのか分からない。

割って入るように、唯子が訊《たず》ねる。

「響はどうなるんですか……⁉」

鳴から視線を外し、野尻は答える。

「日本の法律では〈心神喪失者の行為は罰しない〉と定められています。ま、今後の状況を鑑みての司法判断になるとは思いますが」

「……そうですか」

唯子が安堵《あんど》の息を吐いた。一番気になっていたのはそこだったのだろう。

「投薬治療とカウンセリング……医療観察のため、入院していただきます」

「おねがいします……」

深々と頭を下げる唯子に、ああ、そうだ、と思い出したように野尻が問う。

「ところで、今日、お母さまは？」

祖母は咄嗟《とっさ》に口を開けなかった。それを察することなく、彼は変わらない調子で続ける。

「響さん、ずっと、ママを呼んで欲しいと」

鳴は祖母の方へ顔を向けた。彼女の困ったような目がそこにあった。

鳴は、テーブルに視線を落とし、野尻に伝えた。

「母は十三年前、自殺して亡くなりました……」


祖母と共に、頭を下げながら部屋を出た。

壁から突き出たプレートには、精神科相談室とある。

声を潜めながら、祖母が鳴に訴える。

「響、小さい頃から、ママがいるって……あの頃、病気に気付いてやれたら良かった。そうしたら、鷲尾さんとこも……」

そうだ。幼い頃、響は母親の幻を見たと良く訴えていた。死んだ母親の姿を。いや、それだけではない。妹の譫妄症《せんもうしょう》的な言動全てが、統合失調症のせいであるとするならば、これまでの辻褄が合う。

（響は、病気だったんだ）

鳴は祖母の肩を抱きながら、廊下をゆっくり歩いた。その途中、ふと思い出す。

（……どうしているかな）

真二郎を見舞ったあの日、響の罪が皆の前で晒《さら》されてから、すでに何日か過ぎている。あれ以来、彼の病室には足を運べていない。外科のある棟は隣だ。だとしても、とても訪ねることは出来ない。出来ようはずがない。少なくとも、今は。

次々に重なる出来事に弱り切った祖母の横顔を眺めながら、鳴は誰にも分からないように長く息を吐いた。


自宅へ戻ったのは夕方だった。一息吐いてから、祖母が、すっと立ち上がる。

「ん……なに？　おばあちゃん」

響の一件以来、祖母はめっきり塞ぎ込むことが増えた。だから出来るだけ気に掛けておかねばならない。突発的に何をするか分からないからだ。

「ちょっと、響の部屋に、ね」

祖母はゆっくりとした足取りで、階段を上っていく。鳴は後を付いていった。

彼女が静かに響の部屋のドアを開ける。熱気のこもったムッとした空気が流れ出した。中はそこまで暗くない。閉められたままのカーテンに僅かな隙間が開いている。そこから夕日が射し込んでいた。

祖母がカーテンを開ける。橙色《だいだい》の強い光が目を刺した。

祖母は部屋の中央に座り込むと、さも珍しそうに周囲へ視線を巡らせていく。考えてみれば、妹が引きこもりになってから、祖母が響の部屋に入ることがほとんどなかった。響が嫌がったからだ。どういう訳だか分からないが、祖母は響の行動全てを容認していたように思う。

（おばあちゃん）

部屋の入り口でその様子を見ていると、悲しみや怒り、むなしさ——様々な感情が綯《な》い交《ま》ぜになって湧き上がる。

祖母に気取られることないよう、鳴は足音を忍ばせ、階下へ降りた。

第十三章　謝絶　——　天沢鳴

午後の陽が、廊下を明るく照らしている。

しかし、鳴の足取りは重い。

響の担当医へ会いに来た昨日より、もっと。

ナースセンターの前を通ったとき、看護師たちが密《ひそ》かに何かを耳打ちし合っていた。

それが何を意味するか、理解はしている。

俯《うつむ》き気味に歩く長い廊下の終わり、一番奥に部屋があった。

真二郎の病室だった。

どんな顔をして会えというのか。しかし、どう思われていようが被害者への誠心誠意の謝罪は、犯罪者の家族として行うべき責務だ。例え相手が幼なじみだとしても。いや、だからこそ、余計にしなくてはならない。

だが、こうしてドアを前にすると息が苦しくなる。自然に頭も下がる。

これでは駄目だと少しだけ顔を上げたとき、病室のドアが開いた。

中から、輝と美優が微笑み合いながら出て来た。ということは、真二郎の容態は快方へ向かっているのか。思わず声を掛けようとしたとき、美優の視線がこちらを捉えた。その様子に気付いた輝も、鳴に顔を向けてくる。二人の顔は、あからさまに曇った。

言葉もなく互いに歩を進めたが、彼らは身を避けるようにして擦《す》れ違って行く。その時、美優はこちらを睨《にら》み付けながら、ボソ、と囁《ささや》いた。

「ごめん、あなたたちとはもう関わりたくないの」

あなたたち——自分と、響のことか。それとも、祖母を含めてだろうか。

鳴は救いを求めるように輝に視線を送る。しかし、彼は目を逸《そ》らし、歩みを早めた。

立ち去る二人に振り返ることも出来ず、鳴は立ち尽くす。

遠ざかる足音を聞きながら、それでも、と病室の入り口へ顔を向けた。

思わずハッとする。

半分ほど開いたドアから、真二郎の母親、弓子が顔を覗《のぞ》かせていた。

「あ、あの……」

意を決し、声を掛けたが、弓子はドアを無情に閉める。その顔は笑っていたが、前のような温かみは一切ない。最後は氷のような冷たさを孕《はら》んだ目で、鳴を睨み付けていた。

完全なる拒絶だった。

真二郎に会えぬまま、鳴は自宅への道を辿《たど》る。

ため息を繰り返してしまう。背中が丸くなる。引きずりたくなるほど、足取りも重い。家に帰りたくなくて少し遠回りをしたら、すっかり日が暮れてしまった。

自宅に通じる最後の曲がり角を曲がったとき、無意識に足が止まった。

家の窓が割られ、壁は落書きや張り紙で汚されている。

〈放火魔〉〈出ていけ！〉〈死ね〉

テレビや映像作品でよくある犯罪者家族に対する光景が、目の前に広がっていた。人の噂《うわさ》が広がるのは早い。誰の仕業か、考えなくても分かる。

割られた窓の中は暗く、家全体が静かだ。いや、周囲そのものが静かすぎる。近隣住民が息を潜めて、鳴を、祖母を監視しているのではないか。自分たちが何かしたら、襲いかかってくるのではないか。厭な妄想が浮かび、全身に緊張が走る。

鳴は慌てて玄関へ走る。かろうじて掛かっていた鍵を開け、三和土《たたき》を駆け上がる。灯火のない廊下を滑るように進み、居間へ転がり込む。

唯一明かりの点《つ》いた仏間が見えた。そこに祖母の背中があった。

仏壇へ向かって手を合わせる祖母に、無事だったと安心するのと同時に、息が詰まりそうになる。

（私がいないときに……おばあちゃん……）

たったひとりで手を合わせて、耐えていたのだろうか。

「おばあちゃん……おばあちゃん」

小さく呼ぶと、祖母が合掌をやめ、仏壇の引き出しにゆっくり手を掛ける。取り出されたのは一枚の写真だ。膝《ひざ》をこちらに向け直し、彼女は鳴に写真を見せた。

そこに写っている人を、鳴は知っている。幼い頃の記憶に残っている。童顔で、年齢よりも若く見える、響に似たその人を。

母、琴音だった。

アルバムや遺影から母の写真は外し、処分した。少なくとも目に見えるところには一枚も残していなかったはずだ。写真を見ると響は母親を思い出してよく泣いたし、鳴は鳴で、酷《ひど》い癇癪《かんしゃく》を起こしたからだ。

懐かしそうに祖母が呟《つぶや》く。

「あなたには言わなかったけど……琴音さんもそうだったのよ……」

母親もそうだった？　何が？　鳴は次の言葉を待つ。

「あるときから、おかしな物が見えるって、怖がり始めて……」

母親は響と同じだったのか。初耳だ。そんなこと、自分は何も知らない。

「私、琴音さんのこと、全然分かってあげられなかった……響のことも」

祖母の目に涙が溢《あふ》れていく。

（おばあちゃんは悪くない）

響と同じというのなら、母親もまた統合失調症だったのだ。病気なのだから、祖母が分かってあげる必要はない。責任だってない。それに――。

憤る気持ちがつい口を衝《つ》いて出る。

「だって、ママは勝手に死んだんでしょ?」

祖母が鳴と視線を合わせる。

「私たちを道連れにしようとして」

理由は知らないが、私たち姉妹と無理心中しようとして、母親はひとりだけ死んだ。私たちの命も意思も無視をして、残される祖母のことも考えない、身勝手な行動の末に。

祖母の唇がわなわなと震えた。鳴はその手を優しく包むように握る。

「……おばあちゃんが自分を責めることじゃないよ」

「ごめんなさい……ごめんなさい……」

むせび泣く祖母を抱きしめる。

鳴のやり場のない感情は、胸の裡《うち》で押し殺さざるを得なかった。

一夜が明け、広々とした精神科ロビーに鳴は座っている。

暖かみのある光が上から注ぐ。周囲にはソファの列が並んでいた。腰を下ろした座面の角を手でなぞる。滑らかで柔らかい。

室内と調度品はどれも不自然なまでに角が削《そ》ぎ落とされている。まるで赤ん坊がいる家庭のようだ。

ロビーには、患者とその縁者らの面談グループが複数いるが、それぞれ距離を置いて座っている。その近くに担当の看護師たち、医師が立っており、動向に目を光らせていた。

(監視、か)

鳴は彼ら病院関係者から目を伏せ、ボンヤリと床を眺めた。

昨夜、祖母を寝かしつけた後、家の片付けを出来る範囲で行った。酷く疲れていた。気持ちを奮い立たせるだけの気力すらない。

ぼやけた視界の中、四本の足が入って来た。顔を上げる。

付き添いの女性看護師と、響だった。

妹の顔は無感情だったが、何となく消耗した様子が張り付いている。

「お姉ちゃん……ありがとう」

何に対してのありがとう、なのだろう。持ってきた身の回りの品のことか？　金具や紐《ひも》がないものを、と指定されていたから、手間ではあった。とはいえ、返す言葉はない。

黙ったままの姉の顔を探るように、響がおずおずと口を開く。

「ごめんね……」

「……なに？」

感情的にならないよう、鳴は静かに返す。

「いろいろ」

「響……」

湧き出す様々な感情が堰《せ》き止められなくなり、目頭が熱くなる。絶対に泣くまいと決めていたのに。

涙を拭う鳴に、そっと響が耳打ちしてきた。

「お姉ちゃん……ここだけの話だよ……」

そんなことを口にしながら、響は背後を気にしている。そこには担当看護師が立っていた。

「箱が置かれた家はね」

箱。鳴は自身が燃やした、あの箱のことを蒸し返そうとしている。

聞きたくない。拒絶したい。でも、妹は病気なのだ。心の、精神の。我慢し、耳を傾《かたむ》ける。

「大人も子供も老人も、みんな死んで、家系が途絶えたの」

穏やかで明るいロビーにそぐわない言葉の羅列が続く。

「あるとき、子供が呪われるのを恐れた女の人が自分を犠牲にして、樹海まで箱を戻しに行ったんだって」

樹海。青木ヶ原樹海か。響は喋《しゃべ》り続ける。

「女の人は戻らなかったけど、子供の命は助かった……でも、箱はまた……」

箱。死。箱。呪い。樹海。箱。もう、うんざりだ。

「……響」

「うん？」

「それ、誰から聞いたの？」

「……ママ」

子供のような無垢な笑みを、響が浮かべた。

母親はすでにいない。響と同じ病気で、そして、自ら……。

溢れそうになる感情と涙を制御できない。止めようとすればするほど、鳴の身体の震えは激しくなっていく。

それを、響は不思議そうに見詰めていた。

——鳴が見上げると、枝の合間の空が薄紅《うすべに》に染まっていく。

一転、視点が一気に下がった。

地表を這《は》う内臓のような根の上を舐《な》めるように、低く低く進んでいく。自らの意思ではない。誰かの体験を追っているようだ。

周りから押し寄せるような黒い緑の樹木、青い苔《こけ》の臭いが鬱陶《うっとう》しい。

なだらかな斜面の向こうに、二本の木が姿を現した。

木らは、生皮を剝《は》がれたように白い幹を露わにし、そこに揃《そろ》って立っている。

まるで鳥居だ。

その隙間をすり抜けた途端、四角く白い空間へ倒れ伏す。

周りの壁には腕のように蠢《うごめ》く梢《こずえ》の影が、ひとつ、またひとつと増え、踊り狂い出す――。


ふっ、と鳴は両目を開く。

見慣れた照明器具が天井にある。寝具の中から辺りを見回した。

カーテンの隙間から朱に染まった光が漏れ出しているせいで、部屋の中が赤く色づいている。朝がすぐそこまで迫っていた。胸が激しく上下している。動悸が激しい。

（夢）

短い単語が思い浮かぶ。でも、まるで現実のようだった。その証拠に、生々しい、直に体感したような感覚がまだ身体に残っている。

汗で冷たくなった寝間着のシャツの襟刳《えりぐ》りを引っ張りながら身体を起こし、鳴はカーテンの方をもう一度見た。さっきより朱色が若干薄れていた。

もう、寝られなかった。

喉の渇きを覚え、階段を下りる。居間へ入ると、仏間に見慣れた背中があった。

「おはよう」

鳴は祖母に声を掛けながら、台所へ向かう。冷蔵庫で冷やしておいた麦茶とグラス二つを持ち、居間のテーブルの前へ腰を下ろした。

祖母はまだ手を合わせている。

「おばあちゃんも飲む？」

鳴の呼びかけにも、祖母は微動だにしない。

（……あれ？）

不意に猛烈な違和感に襲われる。

いつもの朝のように、ご飯の炊ける匂いがしない。味噌汁《みそしる》の香りもない。線香の煙も流れていない。

鳴はそっと立ち上がる。

「……おばあちゃん？　おばあちゃん？」

丸めた小さな背中は固まったように動かない。

鳴は祖母の左肩を手で揺らした。呆気《あっけ》なく、その身体は右へ向かって真横に倒れた。

陶器製の人形のように固まったまま、手を合わせた姿で。

慌てて顔を覗き込むと、そこには威嚇する獣のような、醜悪な表情が刻まれていた。

声もなくその場にしゃがみ込む鳴の目に、祖母の合わせた手が映る。
左手の薬指が、断ち切られたようになくなっていた。
そこで初めて、鳴は泣き声のような悲鳴を上げた。

第十四章　呼声 ―― 阿久津 美優

橙色《だいだい》に染まる夕刻の空には、幾つもの雲が横に長くたなびいている。

(クリームシクルとか、オレンジ・シャーベットみたい)

ベランダの窓越しに眺めながら、美優は、ふとそんなことを思った。

引っ越してきてまだ間もないせいもあり、新居に慣れていない。これまでの生活と勝手が違うことが多くて、その度に戸惑う。

(輝、そろそろ帰ってくる頃だな。今、どこにいるんだろう)

スマートフォンを手に取り、アプリのアイコンをタップしようとした。が、間違えて、昨日届いた友人のメールが開いた。

『天沢のとこ、ばあちゃん死んだって。明日ソーシキだってよ』

美優は眉間《みけん》に皺《しわ》を寄せ、深いため息をひとつ落とす。もう、あそこの人間とは関係ないのだから、こんな連絡はいらないのに。

改めてアプリを起動する。輝はまだ職場のようだ。

(だったら、帰りは少し遅いかな)

早めに夕飯の支度でもしようかと考えていたが、もう少し後でよさそうだ。予定しているのは、夏野菜入りのトマトソースパスタと、鶏胸肉のサラダ。後は軽めに仕立てた冷製スープである。どれも輝の大好物だった。

「あ」

美優が、ハッと何かに気づく。

「ごめんねッ」

部屋の隅へ駆け寄り、自分たち夫婦にとってかけがえのない存在を抱き上げた。

「オムツ、濡《ぬ》れちゃったかなぁ？　それとも、おっぱいかなぁ？　……ママ、ちょっとオムツとってくるからね」

抱いている腕とは反対の指で、そっと頬に触れる。その柔らかな感触は、本当に愛おしい。腕に掛かる重みは幸福を実感させる。

まるで天使のようだ、と彼女はひとり微笑んだ。

（ここで少し待っていてね、ね……。ね……。ね……？）

我が子の名を呼ぼうとしたが、口が固まったように動かない。

どうして名前が出てこないだろう。こんなに愛しているのに。自分が信じられない。

腕の中の赤ん坊へ視線を落とした。

そこには、四角い箱があった。

この家の下にあった、あの箱。

薄黒く、汚く、歪《いびつ》な箱。

真二郎の実家へ預けて、そして響が燃やしたはずの、呪いの箱。

美優は叫び、自身から遠ざけるように箱を投げた。

腕や足の一部が傷《いた》んだ。怪我《けが》がまだ完全に癒えていないことを思い出す。

そうだ、引っ越した後、階段から落ちて。そして――。

美優の手が、無意識に自らの下腹部へ伸びる。

(もう、ここには)

彼女は床の上へ視線を向けた。

落ちたはずの箱は、いつの間にか消えていた。

(どうして……⁉)

愕然《がくぜん》とその場に立ち尽くす美優の耳に微かな声が届いた。

外からだ。仔猫のような声だった。いや、違う。これは人間の――赤ん坊の声か。

咄嗟《とっさ》に窓の方を振り返った。空は、更に濃い朱色へ染まり始めていた。

美優は頭を振る。聞き違いだと否定をする。が、確かに幼子の泣き声が聞こえる。それも、この家の下から。位置的に言えば、コンクリート基礎の中にある収納スペースから。

そう。呪いの箱が置かれていた場所から。

（絶対、仔猫だよ。きっと、仔猫）

そう思い込もうとしても、打ち消せない不安が湧き上がる。

輝が戻るまで、まだ時間がある。美優は懐中電灯を手にする。この目で収納スペースに仔猫がいることを確かめればいいのだ、と思った。

玄関から出て、慎重に、足を滑らせないように階段を降りる。

夕闇が迫っていた。

声はまだ続いている。耳をそばだてる。確かに収納スペースの辺りから響いていた。

懐中電灯のスイッチを入れた。丸い光が基礎に嵌《は》められた古びた板の蓋《ふた》を照らした。それを外す。黒く四角い口が開く。泣き声が強まった。何かを求める泣き方だった。

美優の顔から、怖《おそ》れが消えた。

慈母のような微笑みを浮かべ、彼女は吸い込まれるように中へ入っていく。

空はもう、暮れきる前の黒みを帯びた紅へ染まっていた。

第十五章　幼日 ── 天沢 鳴

また、蜩《ひぐらし》が鳴いている。

線香の香りが、ふと鳴の鼻をくすぐる。着慣れない喪服が、非日常感を強めた。

独り佇《たたず》む居間から見える仏間に、祭壇が設《しつら》えられていた。

祖母、唯子の遺影と骨壺《こつつぼ》がぽつんと置かれている。

もう夕刻だというのに焼香に訪れる人間はほぼおらず、家の中にはガランとした空虚さが満ちていた。

葬儀は地元から離れた寺の僧侶が執り行った。当たり前だが、菩提寺《ぼだいじ》である真二郎の寺へは、頼めなかった。

通夜以降、嫌がらせは僅《わず》かに落ち着いたが、それは祖母が亡くなったことで多少の溜飲《りゅういん》を下げた人間がいた証拠ではないか。そう鳴は捉えている。

（……おばあちゃん）

足から力が抜けていく。

息子を喪《うしな》い、夫に先立たれ、血の繋《つな》がらない義理の娘に苦労させられ、そして孫二人を独りで育て上げなくてはならなかった。そんな祖母の人生の最後が、これか。

鳴は、深くため息を吐いた。

（……響）

私はもう、独りだ。周りには誰もいない。

身体を支えられなくなり、鳴はその場に崩れ落ちた。

畳の上に赤ん坊のように身体を丸め、ただ、泣く。体裁など知らない。見咎《みとが》める者も、宥めてくれる者も、誰もいないのだから。

疲れた。もう疲れた。だから、もう何もしたくない。

鳴は、そっと目を閉じた。


どれくらい経《た》ったのだろう。

瞼《まぶた》の向こうに光を感じる。畳を踏む、小さな足音が聞こえた。

静かに目を開けると、柔らかな光が視界に広がる。

さっきまで薄暗かった居間に、夏の陽が差し込んでいる。

すぐ目の前に、膝《ひざ》を揃《そろ》えて座る幼い子供が見えた。

見覚えのあるシャツとズボン。すぐに誰か分かった。

小さな頃の響だ。

「響、手、洗ったぁ？」

台所の方から、懐かしい声が響いた。

思わず、ママと口を衝いて出た。自己嫌悪に陥る。自分たちを置いて自殺した母親を、ママなんて呼びたくない。

幼い響が母親の方を振り返りながら、答える。

「まだ……だって、おえかきしてるの」

妹は居間のテーブルで絵を描いていた。いろいろなクレヨンを駆使し、画用紙と夢中で戯れている。楽しそうだ。

鳴はそっと立ち上がった。喪服のままだった。しかしこんなに目立つ姿なのに、響は気付かない。まるでこちらの存在が分かっていない、見えていないかのようだ。

（……ずっと前の。私が、子供の頃の光景）

だとすれば、これは夢か幻だろうか。

鳴は無意識に台所へ足を向ける。そこには母親――琴音が包丁を振るっていた。

「もうすぐご飯出来るから、お姉ちゃん呼んできて」

夏の装いで母親は微笑んでいる。

「はーい。おねえちゃん、ごはんだよ！　あれ？　おねえちゃんどこ？」

覚束《おぼつか》ない足で響は探し回る。

（こんなこと、あったなぁ）

天沢の家に住み始めた時期で、もう父はいなかったけれど、それなりに幸せだった頃だ。

「響！」

誰かが妹を呼ぶ。ああ、と鳴はすぐに気付いた。

「ねえ響、ちょっと来てごらん！」

多分、自分の声だ。きっと、裏庭から呼んでいる。

響が、母親か祖母の履き物を勝手に突っ掛けて勝手口から外へ飛び出していった。裏庭へ一番近いのは、この出入り口だ。

無意識に、鳴は響を追いかけた。

そこには、今はもうなくなった納屋があった。

「響ー」

また幼い自分の声が聞こえた。納屋の中からだった。

響もそこへ入っていく。後をついていくと、小さな自分のしゃがんだ背中が見えた。

「なんだろね？　これ」

幼い自分が何かを指し示した途端、火が点《つ》いたように響が泣き出す。

「響、こわいの？」

姉妹の前には、風呂敷包みが置いてある。

色褪《いろあ》せた紫色をした、三段積みの小ぶりな重箱くらいの大きさの、風呂敷包みが。

（これ……！）

子供の鳴が、風呂敷の結び目に手を掛けようとした。

「──鳴ッ！」

鋭い叫びが耳を打つ。

「鳴ッ！　駄目ッ！」

目を吊《つ》り上げた母親が飛び込んで来て、幼き日の鳴を突き飛ばす。

咄嗟《とっさ》のことに一瞬だけキョトンとした後、叱られたことを自覚した幼い自分が泣き出す。

その顔を青ざめた厳しい表情で見ている母親。

そこで、一気に視界が暗転し──。


──暗い。

目を開けた鳴は、自分の頬が濡《ぬ》れていることに気付く。

やはり夢だったのか。

明かりすら点いていない居間で身体を起こす。すでに陽は完全に落ちていた。涙を拭いながら、在りし日の風景を反芻《はんすう》していく。

優しい母親。絵が好きな妹。そして、そんな二人が大好きだった自分。

今し方見た、あの光景をはっきり思い出せた。

確かに、あの日、あんなことがあった。突き飛ばされた痛みではなく、いつもと違う母の顔が怖くて泣いたのだ。私は。

(でも)

あの風呂敷包みを輝の家で見たときに、どうして思い出さなかったのだろう。小さかったから記憶が曖昧だったのか？　いや、すでに物心はついている。忘れるはずはない。現に、こうしてその日の暑さや、母の料理の香り、響の声すら思い出せている。

(何かが記憶に蓋《ふた》をしていた……？)

いや、今はそれに関して横へ置く。

問題は箱だ。

夢の、いや、記憶の中の響は、あの頃から箱に対して警戒していた。母もまた、何らかの事情で箱を危険視していたことが見て取れた。

そして、成長した今の響にもそれが続いている。輝の家で風呂敷を、箱を目にしたときの反応。そして、美優が触れそうになったとき、駄目だと明確に言葉にして叫んだ。その後、美優は階段から落ち、お腹の子を喪った。

それに、最後は箱を焼く行動へ出た。たとえそれが犯罪だと分かっていても。

ふと、病院の面会ロビーでの響の言葉が蘇《よみがえ》る。

〈箱が置かれた家はね、大人も子供も老人も、みんな死んで、家系が途絶えたの。あるとき、子供が呪われるのを恐れた女の人が自分を犠牲にして、樹海まで箱を戻しに行ったんだって〉

まさか。

（箱は、本当に呪いの）

いや、短絡的過ぎる。

そもそも、過去の記憶の中で、自分たち家族に箱の呪いという実害があっただろうか？

響が見つけ、母親が叫んで……ただそれだけでしかない。

（……でも、本当に？）

何故《なぜ》、箱が天沢の家にあったのか？

そしてそれを後生大事に納屋に保管してあったのか？

あの頃、他に何かなかったのか？

父親の死、父方の祖父の死は箱と無関係か？

いや、それ以前に、母親が天涯孤独になった理由は？

（母親は、箱について、何かを知っていた……？）

だから、箱に近寄った私と響に対し、あんな行動に出たのか。

それでも、と鳴は頭を振る。

あまりに馬鹿馬鹿しい想像だ。それこそ、世迷い言に過ぎない。

ただ、それらをただの妄想と片付けて良いのか？

もう一度、先入観を取り払い、深く、考えてみる。

（どうしても、無関係とは思えない）

色々なものが繋がっていく。

（そして、響も）

響は幼い頃から、いもしない母親の姿を見た、と繰り返し訴えていた。

その話が本当であるなら。もし、死んだ母親となんらかのコンタクトを取れていたなら。

（知っていたんだ。響も）

だから、響は箱を焼こうとした。呪いを断ち切るために。なんらかの理由で青木ヶ原樹海へ持って行けなかったから、戻せなかったから、仕方なく焼いたのだ。結果、真二郎の父と寺を巻き込んだ。それもまた、箱が持つ業や呪いとも考えられるのではないか？

更に、祖母が不審な死を迎えた。左手薬指が無くなった状態の変死だ。警察は自然死だとし、薬指は鼠《ねずみ》か野良猫にでも囓《かじ》られたのではないかと、処理してしまった。ありえない。現代の日本でそんな判断が許されるものか。

（そうか）

鳴は顔を上げる。

（母親も、響も、病気なんかじゃなかった）

少なくとも、響は見えていた。知っていた。だから。

これまで頭から信じていなかったことの数々が、ゆったりと腑《ふ》に落ちる。

思考がクリアになっていく中、後ろから温かな手が肩に触れる。

――お姉ちゃん。

妹の声が聞こえた。響だ。分かる。今、そこにいる。すぐ傍《そば》に来てくれている。たとえそれが、この世の理を越えているとしても、自然に受け入れられる。

鳴は肩に置かれた手をそっと包むように握った。儚《はかな》げな暖かさだけがあった。

響の声が再び聞こえる。


――美優ちゃんが……。


咄嗟に振り返った。

だが、そこには誰もおらず、暗い部屋の中に線香の煙がたなびくだけだった。

美優ちゃんが。そう、響は言った。

似たことがあった。美優が階段から落ちた日の出来事を思い出す。

だから、今なら妹の言葉を素直に受け止められる。

鳴は自室へ上がり、喪服を脱ぎ捨てた。

第十六章　捜索 ―― 天沢鳴

日が落ちたとはいえ、空気には未《いま》だ昼間の熱が残る。

鳴は力の限り走り続けた。急がねばならない。

ようやく辿《たど》り着いた輝の新居の変形二階建ての外階段を駆けあがり、息を弾《はず》ませながら呼び鈴を鳴らした。

ほぼ同時にドアが開き、輝の驚いた顔が覗《のぞ》く。

「お前、なんでッ⁉」

「美優は……⁉　……いないの？」

顔を伏せるようにして、輝は頷《うなず》く。その後ろに真二郎の顔を見つけ、鳴は目を見開いた。

「真二郎……」

顔も腕もまだガーゼや包帯が取れていない。こんなに短期間で退院できたのか。かなり無理をしているようにも見える。大丈夫なのと問う前に、彼は鳴から目を逸《そ》らした。重い空気が漂う。当然だと思う。しかし、そんなことを気にしている暇はない。

「ねぇ、輝。美優ちゃんはどこへ行ったの？」

彼は絞り出すように、呟《つぶや》いた。

「……わかんねェんだ」

エンジンの掛けられた黒い軽乗用車の中、運転席に輝、助手席に真二郎、後部座席に鳴が乗っている。

車は美優のものだ。ということは、彼女は遠くまで行っていないのか。それとも、他に移動する足があったのだろうか。

「鳴、お前なんでこのタイミングで来た？」

輝の疑問を適当にあしらい、逆に質問を返す。

「美優、いつからいないの？」

輝は眉根《まゆね》を寄せて答えた。

「仕事から戻ると、家に明かりが点《つ》いていなくてさ。玄関も鍵が掛かってなかった」

室内には姿が見えず、家の周りにもいなかった。書き置きはない。元々何かあればスマートフォンにメッセージを送ってくる。車の鍵もあった。いつも使っているバッグは財布ごと定位置に残されていたが、スマートフォンだけがない。

状況から事件に巻き込まれたのかと思った輝は、警察へ駆け込む前に退院したばかりの真二郎を呼んで、もう一度美優の行方を示す物が何かないか探した。が、やはり何も出てこなかった。

「やっぱ、警察へ行かなきゃなンねぇよな」

決意を感じさせる輝の口調が痛々しい。

まだ、やるべきことがあるのではないかと、鳴は提案する。

「その前に、もう一度美優に電話、掛けてみたら?」

輝は頷き、スマートフォンをタップする。

何気なく、鳴はルームミラーへ目を向けた。真二郎が映っていた。こちらの視線に気付いているのか分からない。窓の外に顔を向け、押し黙っている。

「……ッ!　くそッ!　出ねぇよ!」

苛立《いらだ》った声を輝が上げる。そのとき、鳴はあることを思い出した。後ろから手を伸ばし、彼のスマートフォンを奪い取る。

「んだよッ!」

輝を無視して、鳴は画面を何度かタップした。

「やっぱり入れてる」

GPSを利用した位置情報共有アプリが開かれていた。

アプリを共有すると、現在互いがどこにいるか分かるというものである。

以前、美優がこのアプリについて話すのを聞いたことがあった。輝のスマートフォンに内緒でインストールし、彼の行動を監視するの、と鳴の顔を見て笑っていた。

輝が画面を覗き込む。

「なんだよ、そのアプリ」

今の今までこのアプリを仕込まれていることを、輝は気付いていなかったようだ。

鳴と真二郎の視線から全てを察し、非難めいた声を上げる。

「……美優の奴《やつ》、いつの間に……」

画面にはマップが表示されており、その中央に美優のアイコンがあった。

輝が慌ててピンチインを繰り返す。

縮小されていく地図を目にした鳴が小さく叫んだ。

「樹海……!?」

青木ヶ原樹海はここから近い。とはいえ、歩いて行くには距離がある。美優はどうやってここまで行ったのか。

輝はシフトレバーをドライブに入れ、一気にアクセルを踏み込んだ。

周囲に人家のない暗いアスファルトの上を、車は猛スピードで走る。

計器盤近くに立てられたスマートフォンの画面に、例のアプリが表示されている。

美優のアイコンを注視しながら、鳴は輝に訪ねた。

「あのさ、箱なんだけど」

「……箱？」

彼が訊《き》き返してきた。鳴は首を縦に振る。

「うん。輝の家にあった、箱」

苦い顔をした真二郎が、ミラーに映る。堪《たま》らずそこから視線を外し、鳴は続けた。

「箱と樹海には深い関わり合いがあるみたい」

「それ、どうして知った？　どうやって？」

ぶっきらぼうに訊《たず》ねる輝にどう答えようか、悩む。どう話したところで、信じてくれる可能性は低い。仕方なく、嘘を吐いた。

「……ネットで」

ネットか、と輝が呟く。納得したことを確認し、鳴は続けた。

「輝の家から、箱が見つかって……それから美優がいなくなった。そして、こうして樹海にいるってさ、偶然にしては、おかしいと思わない？」

車内は静かになった。輝と真二郎が話をどう捉えたかは、全く分からなかった。

青木ヶ原樹海と書かれた案内標識がライトに照らし出される。いつしか樹海の入り口まで辿り着いていた。

美優がいるのはこの辺りだ。位置共有アプリを、鳴と真二郎は改めて目を皿のようにして見詰める。

「動いた……！」

二人同時に声を上げた。輝がアプリに目をやる。

美優のアイコンが移動を始めた。樹海内から遊歩道側へ向けて動いている。

「あっ。そこ辺りか？」

真二郎が呟く。すでに樹海遊歩道が脇に見えてきていた。だとすれば、美優はここを通って樹海内へ入ったのか。

「ほんとに、こんなとこにいんのかよ」

「もうちょっと……」

疑う輝を無視して、真二郎が動きを止めないアイコンを追う。

「あれなに⁉」

鳴が指差す。進行方向の道路上に、一台の車が停められている。

山仕事で使われるようなシルバー色のバンだ。

位置的に、アプリ内のアイコンがある場所に近く見えた。

「絶対あれだ！」

真二郎が確信めいた言葉を吐いた。輝が速度を落としながら、問題の車の横を通り過ぎる。

しかし、車内には誰の姿もない。美優どころか、運転手も、だ。

「誰もいねぇじゃん……」

気を削《そ》がれたように真二郎が呟いたとき、フロント硝子《がらす》越しに鳴はあるものに気付き、声を上げた。

「いたっ！」

樹海と遊歩道の境目に、何かが動いている。

輝は急ブレーキを掛け、ハンドルを切って車を乱暴に路肩に寄せる。ヘッドライトが丁度、森の切れ目を照らしていた。

樹海内から、人影がゆっくりと出てくる。上向きのライトを避けるように腕で顔を覆った。ほっそりとした女性だ。

停めた車から、輝が慌てて外へ飛び出す。

やや遅れて、真二郎と鳴が降りる。

「美優！　美優！　大丈夫か?!」

輝の大声に驚いたのか、相手は悲鳴を上げる。

近づいて分かった。美優ではない。別人だ。

「……ビックリした」

ハイカーのような格好をした髪の長い女性は、年の頃三十代前半だろうか。

一体、こんな時間にこんなところで何をしていたのだろう。

訊ねようとしたとき、森の奥から草を掻《か》き分ける音が聞こえた。

三人とも身構えながら、そちらを注視する。

男の太い声がした。

「どした？ ……大丈夫か？」

はい、と女性が森へ向かって返事をする。

暗い森からヌッと現れたのは、厳つい顔をした老人だった。

こちらも女性と同じく山歩きをするような衣服を身につけている。

「……なんだ、お前ら」

鳴たちを一瞥《いちべつ》する男性の手に、見覚えのあるスマートフォンが握られている。

「てめー！ 美優になにしやがったッ⁉」

目の色を変えた輝が、男性の襟首に摑《つか》み掛かりながら怒鳴りつける。そこへ先ほどの女性が割って入った。

「ちょ、なにするんですかッ⁉」

男性は落ち着いた態度で輝の腕を振り払い、森の中を見やった。

「向こうに落ちてたんだ」

輝は灯《あか》りも持たず、猛然と森の中へ飛び込んだ。

「おいこらッ！　やめとけ！」

「待ちなさい！」

男性の忠告も、女性の静止も、全く耳に届いていないようだ。

鳴も真二郎と共にその後を追う。しかし、すでに輝の姿は見えない。

やや間を置いて、輝の大声が暗闇の中で木霊《こだま》した。

「……あぁ！　痛ってぇ！」

追いつくと、輝が地面に転がっているのがかろうじて見えた。

「お、おい輝！　大丈夫か⁉」

「大丈夫？」

真二郎と鳴の問いに、輝は呻《うめ》き声で答えた。


樹海のほとりにエンジン音が低く響く。

遊歩道脇に、二台の車が停められていた。

一台は鳴たちが乗ってきた黒い軽乗用車。

もう一台は、老人と女性のシルバーのバンだ。

バンの開かれた後部ハッチの縁に輝が腰掛けている。中には折りたたみ式ショベルやロープ、治療キット等、雑多な道具が詰め込まれていた。

輝は返された美優のスマートフォンを見詰めながら、女性から足の手当を受けている。その手際は鮮やかで、手慣れていた。確か男性に、亜子《あこ》、と呼ばれていた。

「……ったく……余計な仕事増やしやがって」

出口と名乗った男が、ため息を吐いた。手にした懐中電灯で自身が来た方を照らしてから、改めて輝に光を向ける。

包帯を止めながら、亜子が注意を始めた。

「十メートルも進んでないじゃない……そんなんでどこまで行くつもりだったわけ……？」

何も持たない軽装であることを咎《とが》められ、輝はバツの悪そうな顔を浮かべた。

「消毒もしておいたから。とにかく、夜はダメ」

「すいません」

亜子へ素直に謝ってから、輝は鳴たちのところへ戻ってきた。

自然と三人の視線は樹海内部へ注がれる。

遊歩道から少し入っただけで、森の中には圧し潰されそうな暗闇が広がっている。それは入ったもの全てを喰らい尽くすような感覚を、鳴に抱かせた。

「夜の森は、お前さんたちみたいに生命力に溢《あふ》れた人間まで呑《の》み込んじまうんだよ……」

鳴の心を読んだように、出口がゆっくりと森を見渡しながら語り出す。

「……ここは神の森なんだ」

真二郎が反応した。

「神の……」

何ごとかを思い出そうと彼は目を伏せる。

「その話……親父から聞いた……」

出口は無言で真二郎に視線を流す。

「昔……そう。昔の話だ、って。親父が」

徐々に記憶が蘇《よみがえ》ったのか、言葉を連ねていく。

「神の森を鎮めるために、生贄捧げたとか……森ん中、置いてけぼりにしてよ……」

話す内、更に思い出したのだろう。そうだ、と真二郎は声を上げた。

「昭和の始めまで、風習は続いたって……。〈神の森に返す〉んだって……」

後を継ぐように、出口が口を開いた。

「手がない、足がない、頭が足りない、見たくない、ひと様に見せたくない……」

意味を理解して、鳴は眉根《まゆね》を寄せる。出口はそれに気付かず、話し続ける。

「神の元に返す、なんてのは口実で、実際は都合の悪い物全部、この森に捨ててたんだ」

生贄。置いてけぼり。人様に見せたくない。

そうか、と鳴は理解し、無意識に言葉を漏らす。

「人減らし……」

この指摘に、出口は肯定も否定もしない。ただ言葉を重ねる。

「風習は無くなった……しかし今じゃ、自分で死にたいって奴らがここに集まって来る」

三人は顔を見合わせた。確かに青木ヶ原樹海は自殺者の名所だ。

出口が三人に訊いた。

「誰にも分かってもらえない……そういう奴らの思いはどこに行くと思う?」

樹海に集う、自殺志願者たちの思い。死に損なったまま昏《くら》い情念を内に抱えて生き続けるのか。死んで昇華させるのか。あるいは死後に肉体が朽ちても、魂は樹海に囚《とら》われてどこにも行けないのか――。

唐突に輝が出口に訊ねた。

「箱って知ってますか?」

さっき鳴が話した樹海と箱の関係のことが、彼の中で燻《くすぶ》っていたのだろうか。

出口は何も答えない。語らない。どこも見ることなく、ただ押し黙っている。ただ、その表情は険しい。

「えっ、なに、ハコ?」

何のことか分からない亜子は、問いかけるように出口を見た。

「……さぁな」

話を断ち切るように、出口が自分の車へ乗り込む。慌てて亜子も助手席へ滑り込んだ。

エンジン音を響かせ、シルバーのバンは走り去っていく。

見送りながら、鳴は出口の態度に疑問を抱いた。


「……あのさ」

樹海から戻る車の中で、真二郎が口を開く。鳴は顔を上げる。ルームミラー越しに彼がこちらへ視線を合わせてきた。

「……響が火を点けたのって……なにか意味があったんじゃねーかな……」

輝がちらと真二郎へ顔を向けて、訊く。

「どういうこと？」

「死ぬ間際、言ったんだ、親父が……」

あの火事の日、真二郎は本堂に父親を助けに入っていた。その際、炎と煙に巻かれ、自身も重傷を負ったことを二人は知っている。

真二郎の次の言葉を待った。

彼は僅《わず》かに言い淀んだ後、絞り出すように言葉を漏らした。

「……祓《はら》えなくて、すまなかった、って」

「それって」

何かに気付いたように輝が呟く。

鳴は、自身の中に大きく膨らむ不安に言葉を失っていた。

第十七章　榾木　――　出口 民綱

窓の外を流れていく暗い樹海のほとりを眺めながら、出口は思う。

視界に入る景色を全て意識しながら、彼は心の中で我が娘の言葉を反芻《はんすう》した。

（……いつまで続けるの？　か）

彼は青木ヶ原樹海、いわゆる富士の樹海の自殺者監視ボランティアである。

一年間で出る自殺者は三桁《みけた》を下らない。

出口が声を掛けた人間も多数命を絶っている。

地元警察の要請で樹海の捜索に狩り出されれば、昨日言葉を交わして見知ってしまった顔の遺体に出会うこともあった。例えば、枝からぶら下がり物言わぬ姿で。あるいは手帳や通帳、沢山の薬の瓶が散乱した中で赤子のようにうずくまり、微動だにしない姿で。自分がやったことに意味がなかったようで、正直、堪《たま》らない気持ちになった。

何故《なぜ》自殺の名所となったのかは諸説あるが、高名な小説家の作品に青木ヶ原樹海で自死する場面が描かれたことによって一躍その名を轟《とどろ》かせた、ともある。実際のところ、それ以前から死に急ぐ人々が訪れていたという話もあるから、どれが正しいのか出口にも分からない。そもそも樹海内には猛スピードの電車も、目も眩《くら》むような高さのビルもないのだから、自ら死ぬ方法は限られる。それも楽ではない、一歩間違えたら延々と苦しみや後遺症に悩まされるような方法しか残されないだろう。枝にロープを掛けてか、薬を飲むか、だ。一時期大酒を飲み、凍死する方法もとられたようだが、失敗する者も多かった。

それでも樹海に命を棄《す》てに来る人間は後を絶たない。

ひとつ言えるとすれば、自殺の名所だと声高に叫ばれることが繰り返され、皆の心に刷り込まれたから名所と成り果てたのではないか。いや、それだけではないのだが。

どちらにしても自殺をさせるわけにはいかないのだ、と出口は思う。

だからこうして監視員を続けている。まだ結婚前、若い頃から休日になるとこうやって樹海の辺りを警戒して見回った。ボランティアなのだから、もちろん無給だ。

七十歳になった今もなお、日々、樹海にやって来る自殺者たちが自ら命を絶つのを、止めるために走り回っている。

隣で目を閉じ座っている女性は、中田《なかた》亜子という。

同じく樹海監視ボランティアだ。今は三十代中ばになった。

元は樹海に自殺にやって来た人間で、出口が救ったひとりである。

知り合って随分経《た》つ。十三年ほど前か。

（そうだったな。あの頃のコイツは……）

樹海で彷徨《さまよ》う亜子を見つけたとき――確か二十歳になったくらいだったはずだ。

高校卒業後、就職で地元福岡県を離れ、こっちへやって来たが、度重なる不運に絶望。自殺を決意した、と聞いた記憶がある。

説得して思いとどまらせたが、やはりいつ死ぬか分からないような危うさが残った。

だから、たまに連絡を取り、様子を見に行った。

今どうしているのか、何かあったかと訪ねる最中、時折、亜子の目がおかしくなる。

それこそ、死ぬ奴《やつ》の目、だ。

これではいけないと、半強制的に繰り返しパトロールに連れて出た。

樹海を訪れる自殺者の現状、現実を突きつけ、自殺志願を止めさせる荒療治である。

死ぬ人間が纏《まと》う、淀んだ空気を目の当《ま》たりにさせるショック療法だ。

更に、自殺者を止められなかったとき、死ぬ方、死なれる方、それぞれがどれ程つらいことになるのか、樹海パトロール中に語って聞かせてやった。

このとき、出口はわざと突き放したような言葉を選んだ。

『……残念だったな』

『死ぬ奴のそれじゃない』

『これから厭《いや》ってほど――』

監視ボランティアにはそぐわないものだとしても、あえて、だ。

何度も無理矢理同行を繰り返させる内、亜子の目は随分光を取り戻してきた。樹海の遊歩道を歩く人間をめざとく見つけることも増えた。最初のときは窓の外にすら目を向けることがなかったのだから、かなりの進歩だろう。が、それでも彼女の目が暗い光を発することがある。ここでやめれば元の木阿弥《もくあみ》だ。まだまだ目を離すわけにはいかないと思った。

出口は亜子を繰り返しパトロールへ連れて行った。

繰り返す内、亜子の目が完全に生きた人間のそれになった。

と同時に、彼女は正式な樹海監視ボランティアになると宣言した。

『わたしも出口さんみたいに人助けをしたい。わたしのような人間を救いたい』

奇特なことだと思う。この、自殺者声かけボランティア・樹海監視員を彼女がいつまで逃げ出さずにやれるか心配だった。元々自殺志願者である。メンタルの点で不安が残った。それに人間、賃金の支払いがない仕事だとすぐに責任感を失う。「金も貰《もら》ってないんだから」、そんな言い訳が自身の中で成立するからだ。

ボランティアを長く続けられるのは、それこそ突き動かされる何か――衝動を延々と抱き続けられる人間だけだろう。

少し前、事務所で亜子はこんな事を漏らした。

『わたし、死ななくて良かったです。出口さんに救って貰えた。だから、恩返しを続けたいんです。それに、自殺者を減らすことは、自分を救うことでもあるんだ、って思いますから』

だからボランティアに参加しているんです、と。

じゃあ、どうして自分は監視を続けているのか。

娘からすれば、老体に鞭《むち》を打ってボランティアにいそしんでいると見えるのだろう。

それでも、やめられない。

(因果、因縁、って奴か)

出口は助手席へ視線を一瞬だけ流した。

亜子が俯《うつむ》くように座っている。いや、眠っているのか。長い髪が顔に掛かり、その表情は見えない。

彼女には、自身が体験してきたやるせなさを感じぬままにボランティアを辞めて欲しいと思う。こんな監視なんかさせておいて、矛盾した言い分であることは重々承知だ。

もう一度、亜子の顔を見詰めた。娘の姿と、だぶって見えた。

(ウチの娘より若いってのに、な)

出口は深くため息を吐く。

ふと、さっきの若者三人組に語って聞かせたことを思い出す。

(死にたい奴が集まってくる、か)

重いハンドルを握りながら、再び助手席に目をやる。亜子の目は閉じられたままだ。

彼女は、早朝からずっと休みなくパトロールをしている。警察と合同で行っている動画配信者の捜索で人手が足りなくなり、仕方なくそのまま出て貰っているのだ。疲れと寝不足があるのは当たり前だ。そこに来て、今度は若い女の行方不明者がいると今しがた分かった。これから更に忙しくなるのは自明の理だ。だから黙って寝かせておいてやることにした。

(何故断らねぇんだ、コイツは)

樹海監視員に対する亜子の情熱にはある意味呆《あき》れる。

(自分みたいな奴を増やさない、か)

亜子がボランティアを続ける理由のひとつを思い返す。出口は自身の過去を思い出し始めていた。いや、あの三人の若者に会ってから、昔のことが噴き出すように浮かんできていた。……違う。最近出くわした、樹海から転ぶように出てきた少女に逃げられてから、暇があれば自身の記憶を辿《たど》ることが増えたような気がする。

(樹海、か)

出口はもう一度亜子の寝顔を眺めてから、改めて自身の過去へ向き合った。

――彼は十五歳のとき、住んでいた土地を離れ、富士吉田《ふじよしだ》の土木建築関連の会社へ入社した。一生懸命働いた。高度経済成長期、猛烈に仕事をするのが当たり前だった。身を粉にして仕事に邁進《まいしん》すればするほど、それが美徳になった時代だ。それに、自らが携わった現場に建っていく建物群は、目に見える成果、手応《てごた》えとしてとても分かりやすかったと思う。仕事が楽しく、また、全てだった。

気付けば三十の声が聞こえ始めていた。

今と違い、昭和の三十歳は家庭を構えていて当たり前の年齢だ。当然、周りの人間はすでに所帯を持ち、それなりに落ち着いた生活を営んでいる。

慌てて相手を見つけるのも、どことなく気恥ずかしさがあり、一生独身でもよいかと考え始めたとき、ひとりの女性に出会った。

初めて顔を合わせたのは、仕事上がりによく訪れていた焼きそば屋だ。

見慣れぬ店員が忙しそうに働くのを横目で見るともなく見ていると、店主の妻が訊《き》きもしないのに、喋《しゃべ》り始めた。

「あの子、出戻りなのよ」

バツの悪そうな口調だが、どこかそれも仕方なかったのだと暗に匂わせている。

店主の娘は、二十代半ばで、結婚生活は一年弱で終わり、子供もいないのだと教えられた。

言われてみれば、店主夫妻の面影がある。良いところを拾ったのか、目鼻立ちは悪くなかった。店での立ち居振る舞いを見る限り、気立ての良さそうな女だな、と思ったことを覚えている。ただし、それから二年後に結婚することになるとは、この時は全く予想していなかったのだが。

そして十五年前、嫁に行った娘が孫を産んだ。女の子だった。

病院に駆けつけると、娘の夫が酷《ひど》く泣いていた。嬉《うれ》し涙だと笑っていたので、男が泣くな、と言いかけてやめた。自分の目も潤《うる》み始めていたからだ。

先日、孫を連れてやって来た娘が真剣な面持《おもも》ちで訊《き》いてきた。

「いつまで続けるの？」と。

娘からすれば、老体に鞭《むち》を打ってボランティアにいそしんでいると見えるのだろう。

それでも、やめられない。

（事情がな、あんだよ……）

フロント硝子《がらす》の向こうに続く道を眺めながら、出口は更に昔のことを振り返る。


生まれたのは、樹海近辺の集落だ。

先祖代々住み続けた土地は、因習に囚《とら》われた閉鎖的な山村だった。

生業は林業や狩猟であり、残りは皆、段々畑を耕す農家だったと思う。

出口の成長と共に、少しずつ集落周辺は近代化されていった。

開拓事業で森は拓《ひら》かれ、鉄やコンクリートの橋が架かり、大企業の工場が次々と建っていった。外部から人の流入もあり、人口も増えていく。

昔からあった沼や川、森は名前や形を変え、村々は合併していった。

それでも、出口の集落では変わらないことがあった。

それは〈神の森〉へ、人を連れて行く神事《しんじ》だった。

出口自身も十になるかならないときから、この神事に赴《おもむ》く祖父や父に同行させられていた覚えがある。今から六十年ほど前だから、昭和の時代だ。

毎年、神社で夏越《なごし》の大祓《おおはらえ》が行われる時期にほど近い頃、夜も明けきらぬ早朝に、神の森へ連れて行かれる人々が周辺の集落から集められる。

少ないときは二、三人、多いときは十人程度だったろうか。人数は年ごとに変わるので良く覚えていない。性別も年齢もバラバラである。

ただ、全員に共通することがあった。

身体のどこかが欠損しているか、心に病を抱えているのだ。

腕や足のいずれか、あるいはどちらもない者。

目や耳、口が不自由な者。

まともに喋ることも出来ず、ただぼんやり土をほじくる者。――他、色々あったと思う。

祖父や父は、彼らを〈ほた〉と称した。

榾と書く。きへんに、ほね。子供だった出口には禍々《まがまが》しい字面《じづら》だった。

怯《おび》える彼を、祖父と父は笑った。

『おい、梢は、椎茸《しいたけ》のほだぎの梢だぞ』

梢そのものは、木の切れ端を意味する。ほだぎとは、椎茸栽培に使う短く細めの丸太のことを称する名前だった。

なんだ、それに使っていた字なのかと安心したが、新たな疑問が湧いた。

何故、人を梢と呼ぶのか、と。

『だって、あれは人じゃにゃあで』

さも当然だという口調で、祖父が教えてくれた。

人ではない？　いや、あれはどう見ても人間だ。否定する出口に、祖父と父がそれぞれこんなことを言った。

『使い物にならにゃあのは、人ではにゃあ。ただのメシ減らしだ』

『元々はもっとちぎゃあ呼び方をしてたが』

その後、父はこう言って笑った。

『ほだぎは椎茸が生えるで、役に立つがな。でも梢はなあ』

いや、それも違うぞと祖父は否定した。

『梢は別で役に立つぞ。いろいろな使い方が出来るでな』

父とは違う、厭な顔で嗤《わら》っていた。

森へ移動する際、榾は縄で腰を括られ、全員が繋《つな》がれる。
歩けない榾は、頑強な別の榾の背中に結わえ付けられてから、改めて縄を掛けられた。
干し柿のように繋がった縄の先端を〈せんど〉と称される壮年の男が持ち、一番後ろは
一番年嵩《としかさ》の男が握った。この最後尾の男を〈ほしゃ〉と言う。
この縄で繋がれた列を〈ほたしゅす〉と呼んだ。
前後左右に数名の男が世話人としてついた。この中に、出口も加えられた。
これらほたしゅすを神の森へ連れて行く人間を総じて〈ほたもり〉と呼ぶ。ほたもりは
全員杖《つえ》や長めの薪《たきぎ》を手にして歩くのが習いである。
この神事は〈かんもりおくり〉〈ほたおくり〉と呼称する。
集落ではかんもりおくりと呼んでいたが、行列が外に出た途端、男たちはほたおくりと
言い方を変えた。どこかこの神事を蔑《さげす》んだ語調だった。
このかんもりおくりは神の森を鎮めるためにある、と聞いた。
『神様というても、そこらの神社の神様ではにゃあ。カタカナでカミと書き、酷《ひど》く怒り易
いし、障《さわ》りがある。それを鎮めるために、榾を捧《ささ》げる。榾は、人の目から隠すものである
で、カミの元へ還《かえ》すことで浄化される。それにメシ減らししかしねぇ人間も、これで処理
できるら。一石三鳥だ』

ほたおくりの際、出発前に道中の無事を祈願し神職が祓《はら》いを行う。それは同時に、神事を行う側に対して災禍が降りかからないように、というためだ。

確かにほたおくりは、過酷な神事である。

椚を伴い、徒歩で青木ヶ原樹海を目指すのだから。

出口たち、送る側はズックや地下足袋《じかたび》を履いていたが、椚はわらじか裸足である。それに、足が不自由な者、身体がねじ曲がっている者、先天的疾患を持つ者などがいるのだから、長距離を歩くのに向いていない。

途中で座り込んだり、泣きわめいたりする椚が出てくるが、その度に杖や薪で殴った。黙って歩き始めるまで折檻《せっかん》は止まらない。

進み始めた椚を睨《にら》み付けながら、大人たちは口を揃《そろ》えてこう言った。

『牛や豚と同じだ。それだで叩《たた》かにゃあと分からにゃあ』

予定の距離を歩くと、小休止が入る。

そこで出口たちは飯や水を口にするのだが、椚には最低限のものしか与えられなかった。

この小休止の合間、ほたもりたちは数人の椚の女、あるいは少年の縄を解き、彼らと道の脇の茂みや林に消えることがままあった。

祖父に訊《たず》ねると『あれは用足しだ』と言い下卑《げび》た表情を浮かべた。

ほたおくりは神の森に辿り着くまで、半日以上歩く。

ようやく森の端まで着いても、そこから更に奥へと分け入る必要があった。

持ってきた赤い紐《ひも》を所々の木へ結わえて道標にしろと指示されて、出口は一生懸命に紐を枝や幹に巻いていく。教わったとおり、目立つように端を長めに取り、風に靡《なび》くようにした。

森の奥へ辿り着くと、ほたしゅすの縄を解き、ひとところに固めた。

そして、ほしゃが強く言い含める。

――お前ら榾は、この森より出ること、赦《ゆる》されじ。よってカミの沙汰が下るまで、森にいるべし。さすれば、カミが遠き海のあちらへ、常世《とこよ》へ誘うべし。

祝詞《のりと》でもない、呪いのような文言は、自分たちの住んでいるところの言葉遣いではない感じがした。

もちろん、言うことを聞かない榾たちが逃げようとするが、当然の如《ごと》く歩みは遅い。その度に捕まえては強く打ち据えて黙らせる。他の榾への見せしめになったのか、彼らは薄汚れた顔で黙り込み、その場にじっとうずくまった。

榾が大人しくなったことを見届けた後、集落で不要になったなまくらな鉈《なた》や包丁、古くなった鋏《はさみ》をひと揃《そろ》い、彼ら、榾の前に置く。

魔除けらしい。それは榾にとってか、ほたもりにとってかは分からない。

『ここらには山犬がいる。自衛に使えということかも知れにゃあし、その前の自決に使えっていうことかも知れにゃあ』

父はそんなことを話していた。

森から出ながら紐を全て取る。知恵が残った梢がそれを目印に戻ってこないように、だ。その後、皆は近くに流れる川で身体を洗い、目と口を濯《すす》いだ。そして遠回りして宿へ入り、一晩どんちゃん騒ぎをしてから翌日集落へ戻った。

これは禊《みそぎ》なのだ、と祖父は言っていた。

出口が数えの十五になった頃だ。

その年も、ほたおくりがあった。

その年の梢の数は多かった。十三人いた。

この神事は樹海周辺の村々が持ち回りで行っていたが、この頃は出口の集落のみがやるだけとなっていた。それだからか少し遠い村からも梢が集められるようになり、人数が増えていた。

いつものように梢たちを縄で縛って森へ歩く。

ときどき、他の大人たちに木の棒で梢を打ち据えさせられた。数えの十五はもう大人なのだから、そろそろ梢を仕込む心構えを持て、と。

肉の弾力と骨の硬さがジンと棒から手に伝わってきて、とても嫌な気分になったことを覚えている。

途中、小休止が入った。飯を食べ、水を飲む。

木の根っこに座っていると、祖父がやって来た。

〈おい、民綱。お前もこっちへ来い〉

誘われるままに木々の間を付いて行くと、奥の方からくぐもったような複数の唸《うな》りが聞こえてきた。

獣でもいるのか。思わず身構えると、祖父は声を潜めて囁った。

〈大丈夫だ。ほら、よく見ょお〉

重なった梢《こずえ》で生じた影の中で、蠢《うごめ》く何かが幾つもあった。

獣のような呼気の音と共に、ムッとした、垢染《あかじ》みた臭いが漂ってくる。

ほたもりの男たちが、榾に覆い被《かぶ》さっている。

足のない女を組み敷き、その残された太腿の間に割って入る者。

腕のない女を後ろから押さえ付け、殴りながら獣の交わりのように腰を振る者。

目の見えない少年を立たせ、顔を幹に押しつけつつ背後から責め苛《さいな》む者。

他にも沢山似たような者たちがいる。

ほたもりは愉悦の唸りを、榾たちは苦痛の唸りを口から漏らしている。

様々な梢と男たちが長虫や芋虫らのように絡まりあっているようだ。

嗤いながら、祖父が呟《つぶや》く。

『ほら、梢は役に立つ』

『儂《わし》らのため、カミを鎮めるのに森へ捧げる以外にも、こんなに』

『逆に梢どもに、儂らが情けと真っ当な種を与えてやってるのよ』

出口は吐き気を覚え、そこから逃げた。その姿を見て、祖父の嘆きが背中へ飛んできた。

『十五になったのに情けにゃあ。お前もやればいいのに』


それから間もなくして、出口は集落を出た。

次のほたおくりが始まる前の春だった。

きっかけは、近辺集落の話と、身近にいた母子の行動である。

当時、近くの集落を逃げ出す家が幾つか出てきた。

人口が減り、食えなくなったこと。更に、ほたおくりという因果な風習に荷担するのに嫌気がさした、と聞いた。

名前は忘れたが、出口の集落にいた母子も、ほしゃであった夫が亡くなった後に集落を出た。こんな風習があるところにはいられないから、という理由だと人伝えに聞いた。

その時、出口は自分もここから外に出ればよいのだと、初めて気付いた。十五歳は立派に社会でやっていける。そんな時代だった。

母子を密《ひそ》かに見送りながら、自分より三つほど歳下の娘の背中に、ほたおくりなどないところで、嫁に行き、孫の顔を拝み、幸せに暮らせ、と願ったことを覚えている。

その後、出口は集落を出る準備を始めた。が、その最中に祖父が死んだ。

崖から落ちたせいか、顔と頭が割れ、頭全体が歪《ゆが》んでいる。誰かも分からないほどだった。身体に残っていた古傷から、祖父だと分かった。

遺体は直視に耐えるものではなく、出口は思わず顔を背けた。

そのとき、祖父の左手薬指が欠損していることに気付いた。

葬式を出した晩、父がぽつりと呟いた。

『ああ、榾を送っても、結局、命を取られるのだ』と。

そう。ほたおくりをしていた村や集落では、異様なほど人死《ひとじに》が出ていた。

それだけではなく、ほたもりをしていた家で生まれてきた子は、五体満足ではなかったり、後に心を病んだりすることが多かった。

実際、出口が生まれる前にいた兄は十を迎える前に変死しているし、祖父の妹は耳が聞こえなかった。

集落の外に出た出口は建設会社で働き始めた。

十数年後、出口の親族がほとんど死に絶え、同時にほたおくりの神事も途絶えた、と人伝に聞いたが、あまり心は動かなかった。

逆に、それは当然の結果ではないかとすら思った。

更に時が経ち、出口がいた集落は限界を迎え、人の姿が消えたと、ニュースか何かで知った。それもまた必然であった、と彼は納得せざる得なかった。

樹海のカミは、甘くないのだろう。

集落がなくなった後、ふと出口はある人物について思い出した。

幼い頃に仲が良かった、同い歳の幼なじみのことだ。

彼は生まれたときから、左手がなかった。でも、それ以外は何も不自由なところはなく、普通に生活を送っていた。明るくて、とても頭がよい子だったと思う。

ところが、その子は突然姿を消してしまった。

時期は、出口が数えの七つになった年の、夏越の大祓の少し前だった。

十になり、ほたおくりを知ったとき、彼もまた神の森へ還らされたのだと出口は察した。

そう言えば、何回目かのほたおくりのとき、祖父と父からある話を聞かされた。

『民綱、あの森には、村と箱がある』

『村は梢たちの村だ』

『あと、赤ん坊も産み増やしていると聞く。梢同士か、他の種が分からんが』

俄《にわか》には信じ難い。でも、その後、何度目かのほたおくりで森の中で確かに――。

（そして、今、か）

出口は人並みに家庭を持ち、今は孫もいる。

それでも、樹海から離れられない。ここへやって来る人間を救うことに拘《こだわ》っている。

罪滅ぼしのつもりかも知れない、と何度か考えた。ほたおくりをしていた自分と、自分がいた集落の。しかし、集落は絶えた。関係者は死ぬか、行方知れずになった。だからといって、長い年月に積み重ねた罪が消えるはずもない。

そもそも、自身の名の由来が、それを赦さないだろう。

『民綱よ。お前の名前の民は支配される人々、綱はそれを結わえる綱から来とる。ほたしゅすの綱よ。そうだ。お前は一生、この集落で梢たちを繋いでカミへ送る義務がある』

そもそも、出口という姓も元を辿れば、樹海の出口から梢を出さない役目から来ていると教えられたこともある。

だから、樹海で自殺者監視員を続ける。自分が抱えた業を昇華するために。

が、ボランティアを始めてすぐ気がついた。

自分は、樹海に来た自殺者が、本気で死のうとしているか、そうでないかが分かることを。

理由は目だった。

死ぬ奴の目には、森に置き去りにされることを悟った榾と同じ、昏《くら》い色が射している。それを理解した途端、耳の後ろから得体の知れない何かが囁《ささや》く。男とも女ともつかない声で〈コイツも死ぬぞ〉と。

樹海で幾ら助けようが、償いは今も終わらない。そう、出口は自らを律する。ほたおくりがすでに廃《すた》れていたとしても。


(業、か)

暗い夜道を見詰める出口の横で、亜子が身じろぎを始めた。

「――あれ、出口さん。すみません。寝てました……」

「よく寝てたな」

亜子が恐縮する。

「それだけ寝りゃ、目もよく見えるだろ？　監視ヨロシクな」

冗談に過ぎない言葉だが、亜子には通じなかった。しきりに恐縮している。元々顔の造作のせいか、彼は全ての言葉を真剣に取られる性質《たち》であり、何度か困ったこともあった。

(しまったな)

言葉選びを間違えた。ぶっきらぼうで人の誤解を生みやすい口調は、出口の欠点のひとつだ。

インパネの時計をちらりと見る。夜明けまでまだ遠い。

動画配信者だけでなく、若者たちが探していた美優という女性は見つかるだろうか。出口は伸びる道の先へ目を凝らす。

(しかし――)

素っ気なく対応したが、箱の話が連中から出るとは。

それにあの三人のうちのひとり――若い女が少し気にかかっていた。

どこかで出会ったような、そんな記憶がある。しかし若い女性が皆同じに見えるような年齢の出口は、心の中で否定した。他人のそら似、だと。

(……いつまで続けるの?)

また娘の言葉が脳裏に浮かぶ。

いつまでかは、分からねぇよと、出口は口の中で呟いた。

森の闇が、更に色濃くなって来ていた。

第十八章　断絶　——　天沢 鳴

壁の明るさが目に染みる。

昨日、樹海から戻ってから、朝まで寝付けなかった。

寝不足のまま、鳴は精神科ロビーのソファに座っている。

目の前には、妹——響が座っていた。

鳴は、声を潜めて訊《き》く。真二郎と話し、ある程度答えは予想しているが、敢《あ》えて、だ。

「響……なんで？　どうして火をつけたの？」

答えない。更に続ける。

「……だって、あの箱は……」

響の顔が曇った。それが答えだと思った。鳴はあらためて確認する。

「もう、ないんだよね……？」

響が、良道を、寺を、そして自身を犠牲にして燃やし尽くしたはずだ。

しかし、響は目を見開き、ハッキリこう言った。

「……まだ、ある」

「まだある……って、どこに？」

「わかんない」

響が再び顔を伏せる。分からない自分を責めるように。

黙ってその姿を見守った。

響が顔を上げる。大きな目に溜《た》まった涙が、今にも零《こぼ》れそうだ。

「私が死ぬとき、一緒にいてくれる？」

響がこちらを真っ直ぐ見据えている。咄嗟《とっさ》のことで言葉に詰まった。何も言わない姉に対し、妹は縋《すが》るように口を開く。

「ずっと呼んでるの……」

「誰が？」

「わからない」

瞬間、響の顔に苦悶《くもん》が浮かんだ。

どこからか、吹きすさぶ風のような甲高い音が聞こえた――気がした。

「ヤメて！」

響が叫びながらいきなり立ち上がる。両手で頭を、両耳を押さえて、首を振る。

「連れてかれる！　このままだと、お姉ちゃんも、私も！」

絶叫に近い独白が、ロビー中に響き渡る。

「響、落ち着いて！」

大人しくさせようとするが、叫びは止まらない。こちらの声も意味を成さない。

妹の恐慌が伝播《でんぱ》するように、周囲がざわめき始める。まず看護師たちが、続いて精神科医たちがロビー内に駆け込んできた。その中には、響の主治医である野尻の姿もある。

「みんな死んじゃう！」

大声を上げ、暴れる響を看護師たちが取り囲んだ。

押っ取り刀《がたな》で駆けつけた野尻が、その横で目配せをしながら声を掛ける。

「響さん、大丈夫ですよ」

しかし響には伝わっていない。ただ暴れ続ける。

「お願いします、とりあえず保護室へ」

野尻の指示で、看護師たちは力尽くで響をロビーから連れ出そうとしている。

「お姉ちゃんッ！」

必死な形相の響に、鳴は手を伸ばそうとした。が、看護師が割り込み、宥《なだ》めてくる。

「大丈夫ですよ……大丈夫ですから」

その言葉に逆らい、鳴は妹の名を呼ぶ。

「響ッ！　響ッ！」

だが、看護師たちは無慈悲にも響を連れ去った。

ロビーには残された患者と面会客、看護師たちの喧噪が渦巻いている。

混乱の中、響が残した言葉を噛《か》み締める。

（まだ、ある）

箱はまだある、妹はハッキリそう言った。鳴の背中に、冷たいものが貼り付いた。


精神科病棟のエレベーターが一階に到着する。

先に降りた野尻の後を追うように、鳴と真二郎、輝が続く。

彼らも一緒に来てくれていたが、家族ではないので別の場所で待ってもらった。

鳴がここから出られないか、本当に統合失調症なのかどうか、もう一度調べて判断して欲しいと皆で野尻へ掛け合っているが、答えは芳しくない。

足を止めることなく、野尻がゆっくりと回答を続ける。

「わかります。誰でもそうなんです。まずは自分たちの弱さを認めるところから始めて見てはどうでしょう？」

「はぁ!?」

不満を隠さず、輝が声を上げた。

「弱さは不安を作ります、その不安が妄想を抱かせます、その妄想が行き過ぎると恐怖を産み出すんです」

取り付く島もないとはこのことだ。

それに、どことなく不自然な口調だと鳴は思う。響のことで野尻とは何度か言葉を交わしたが、こんな話し方をする人だったろうか？ どこかで似た口調を耳にしたような気もする。一体、どこだっただろう。

鳴は、はっと気付いた。

(小父《おじ》さんの)

箱を祓《はら》う直前の、良道の話し方に似ている。

「んなこと、言ってる場合じゃねえんだよッ！」

焦《じ》れた輝が、野尻に摑《つか》み掛かるが、真二郎が止めに入る。

「おい、輝！」

真二郎と輝には、ある程度の事情は話している。全て納得したわけではないが、それでも鳴と響のことを彼らは信じてくれた。だからこそ、こちらを煙に巻くような野尻の態度を輝は許せなかったのだろう。

しかし野尻は輝の行動など意に関せずと言った様子だ。

「ですから、その恐怖には根拠なんてないんです」

そこまで言うと、踵《きびす》を返した。行く先はエレベーターだ。お前たちの見送りはここまでだ。野尻の態度には、そんな雰囲気があった。

こちらの制止を振り切るように野尻はエレベーターの籠《かご》に乗り込むと、ゆっくりとこちらを振り返る。

「あるとしたら、自分の弱さこそが根拠なんです……ということは、その人にとっての恐怖はまぎれもない真実なんです」

話が嚙み合っていない。医師の目は自分たちを見ていないと感じる。例えば、鳴たちのずっと後ろにある何かを見ているような――。

「ちょっと……」

呼び止める鳴に答えることなく、野尻の演説は続く。

「ですから、私も私の弱さが怖いんです」

「おい！」

矢も盾も堪《たま》らず、輝が怒声を上げた。

エレベーターの扉が閉じきる瞬間、野尻の手が胸ポケットへ伸びたように見えた。

階数表示が上がっていく。

輝が深いため息を吐いた。

「やっぱ俺、美優、探しに戻るわ」

憤りを抑えるようにしつつ、彼はさっさとエレベーターホールを後にする。

（輝……）

その背中を、鳴と真二郎は追いかけた。

院内への出入り口である自動ドア近くで、輝が女性看護師に連れられた幼い男の子と擦《す》れ違う。小学校低学年……多分、一年生くらいだろうか。

その男の子は立ち止まり、何故《なぜ》か輝の方を振り返った。

「りょうたろうくん？ ……どうかした？」

看護師が訊《たず》ねるが、その男の子は輝から目を離さない。それどころか、右手首を折り曲げて、口の端を拭うような変わった仕草を見せた。

（……？ なんなの、この子？）

どことなく厭《いや》な感じだ。どうしてなのか生理的に受け付けない。鳴はその子供から目を逸《そ》らしながら、輝の背中に声を掛ける。

「ちょっと待って……」

追いついてきた真二郎が、鳴の肩を軽くポンと叩《たた》き、輝を指差す。

「やっぱ俺も行くわ。心配だし」

鳴は無言で頷《うなず》き、輝に視線を戻す。

丁度、病棟の外に出たところだった。が、彼は突然立ち止まった。

頭のてっぺんを手で触れ、その掌《てのひら》を見て首を捻《ひね》っている。

そのとき、輝の右横に何かが落ちてきた。小さくて、鳴のところからはそれが何か分からない。

輝の視線が下へ向く。しゃがみ込み、何かを拾った。多分、さっき落ちてきたものだろう。彼は確かめるようにそれを顔の前へ持っていった。

そして、叫んだ。

狼狽《うろた》えた表情で、輝は病棟の方に振り返り、上を見上げる。

ほぼ同時に、大きな白い影が上から落ちてきた。

影が輝を無造作に潰した。

鈍く、重い音が轟《とどろ》いた。

駆け寄る鳴と真二郎の目の前に、信じられない光景が広がっていた。

さっきまで話していた野尻の巨躯《きょく》が、輝を下敷きにして倒れている。

アスファルトには、鮮やかな赤の水たまりが広がり始めていた。どちらの身体から漏れ出てきているのか、それとも、二人からなのか、分からない。

投げ出された野尻の左手には薬指がなかった。出鱈目《でたらめ》な方向へ向いた輝の首の傍《そば》に、綺《き》麗《れい》に断ち切られた太い指が落ちていた。

そこまで冷静に眺めてから、鳴は、ようやく声を上げた。

僅《わず》かに遅れて、怒号のような叫び声を放ちながら、真二郎は野尻の身体に手を掛けた。

輝の上からどけと言わんばかりに。

――薄れた線香の香り。

天沢の家のうす暗い仏間に祖母の遺影がうっすらと浮かび上がる。

鳴は居間に立ち尽くし、泣いていた。

後ろから真二郎が抱きしめる。

二人は、眼前で起こった幼なじみの死に打ちひしがれていた。

警察の長い事情聴取から戻ってこられたのは、夜も更けてからだった。

輝は、野尻の飛び降りに巻き込まれて死んだ。

病棟から飛び降りる直前まで話していたのが鳴、真二郎、輝であることから、警察は彼らと野尻との間にトラブルがあったのではないかと疑ってきたのだ。

（……輝）

胸の前に交差した真二郎の手を、鳴はそっと握った。

そして、振り返るようにその胸へ縋《すが》り付き、肩を震わせた。

第十九章　刑事 ―― 葛西 和樹

窓の外を暗い風景が流れていく。

車のエアコンが冷たい風を吐き出している。

葛西はチラリと助手席からインパネの時計を確認した。すでに日が変わっている。

(毎日、毎日、靴底をすり減らしてナンボ、か)

先輩刑事の言葉が不意に蘇《よみがえ》る。昔ながらの叩《たた》き上げ、いわゆる古いタイプの人だった。捜査一課に配属されたとき、散々世話になったことで多大な影響を受けたと思う。ある意味、今の自分を作り上げた人間であると言っても過言ではない。

葛西は、隣で運転している後輩の曽根に声を掛けた。

「あと、どれくらいだ？」

「そうですね。三〇分もあれば。……あ。葛西さん、知ってます？」

曽根が話題を変えてきた。

「なんだ？」

短く返すと、曽根がそっと声を潜める。

「ほら、あの天沢って家の引きこもり」

天沢、引きこもり――二つのワードが葛西の頭ですぐに結びつく。

「……ああ、あの行方不明の動画配信者の関係者か」

曽根が頷《うなず》く。車は信号で停車した。

「今は、放火犯ですけどね」

そうだった。知人宅である寺に火を点《つ》けたことは、耳に入っている。

「あの天沢の娘の周辺、人死《ひとじに》が多いんですよ」

右手にハンドルを握って前を向いたまま、曽根が左手の指で数え始める。

「まず、その放火で寺の住職が焼死。その後、知人の妻が失踪したんですが、その夫が飛び降りに巻き込まれて死んでいます。今日……あ、もう昨日か」

親指、人差し指の二本が折られた。

死んだ夫――阿久津輝の件は、葛西もある程度耳にしていたから、さして驚かなかった。

が、曽根の口は止まらない。

「それと、その飛び降りたほう、天沢の主治医だったんですよ」

曽根の中指が曲がる。三人、だ。

「そういや、あの動画配信者は見つかったのか？」

曽根が首を振る。信号が青に変わった。車が進み出す。

「まだですね」

葛西は腕を組んでから、口を開いた。

「ただの遭難だとしたら、まあ、まだ望みはあるな」

「ええ。道迷い、ならですが」

二人は問題の動画を目にしている。最後の場面で第三者の存在が確認されたため、事件性があると判断されたからだ。

「ありゃ、なんだと思う?」

わざと、なんだという言葉《い》で葛西は曽根に訊《き》いた。

「途中、変なところ、ありましたよね。あれのことですか?」

「ああ。まああれは、動画配信の女の仕込みだろう。きっと協力者がいる。フェイクだな」

「でしょうね。そう考えると、あの動画を見ている常連たちの誰かが協力者で、共に樹海へ行った。そしてトラブルを演出して配信を打ち切った後、その場で女を拉致監禁。あるいは、その場で殺《や》った、でしょうかね。コメントなんてスマートフォンを使えば外からでも出来ますし」

ストーカーの仕業に感じます、と曽根は真顔で答えた。

「遭難ではなく、殺された、か。そうなると」

「そうなりますね。やはり怪しいのは常連共ですよ。洗い直しをしないと」

後輩の答えに頷き、葛西が続ける。

「だとしたら、だ。天沢の周りで死んだ人間がまたひとり増えることになる」

「四人……」

曽根が目を剝《む》く。

「って言ってもよ、天沢が直接手を下したのは、寺だけだろ。他はただの偶然だとしてもおかしくない。だろ?」

頷いた曽根は、ハンドルを切りながら、後を継ぐように言葉を加える。

「それに、天沢の状態を見れば、罪に問えない可能性が高い」

「ああ。あんな診断が下りたからな。裁判でも無罪にされるだろう」

車内に沈黙が満ちる。

そろそろ目的地に着くかというところで、曽根はポツリと漏らした。

「あと……」

「ん?」

「真鍋さんと、北村さん」

葛西より年齢は少し下で、曽根の先輩の刑事たちだ。葛西は苦い顔を浮かべた。

「あの二人も……」

真鍋理人《まさと》、北村佳信《よしのぶ》は天沢響が引き起こした放火事件の担当だった。葛西も知らない相手ではない。防犯カメラのお陰ですぐにホシが上げられた、と二人は言っていた。

そのうちのひとり、北村は天沢響逮捕直後に死んだ。

自宅での首吊《くびつ》りだったが、何故《なぜ》か左手薬指がなくなっていた。未《いま》だ指は見つかっていない。

一方の真鍋は、署内で左手薬指先端を噛《か》み千切った。突然の行動に周囲が彼を拘束し、そのまま病院へ搬送となったが、逃走。遺体が発見されたのは翌日の朝で、自宅近くの側溝で溺れ死んでいた。ただし、側溝内は乾いており、前日も晴れであった。どこかで溺死させられた後に放置されたと考えるのが妥当だが、例の指以外、外傷もない。自死と判断すべきか、それとも他殺と考えるべきか。まだ判断はついていない状態だ。

(薬指、か)

葛西はふと思い出す。死ぬ前の真鍋からこんな話を聞いていた。「住職の焼死体には、左手薬指がなかった。燃え尽きたと思われるが、ピンポイント過ぎる」と。

焼け死んだ人間は両手両足を縮こまらせ、母親の胎内にいる赤ん坊のような姿になることが多い。当然、死因に事件性がないか隅々まで検死するのだが、その際に住職の左手薬指のみ欠損が認められたと報告があったらしいのだ。

また、昨日飛び降りに巻き込まれた阿久津輝のケースだと、左手薬指はあったが滅茶苦茶に折れていた。更に、飛び降りた側の医師は、病棟屋上でどこからか持ってきたメスで自身の薬指を切り取り、地上へ投げ捨てた後に投身している。

担当事件ではないから、詳細は又聞きに近いが、気になるので覚えていた。

目的地の駐車スペースに車を停めながら、曽根が思い出したような声を上げた。

「あ、まだいます」

「ん……？」

「天沢のお祖母さん。不審死でしたね。片手の薬指がなかったらしいです」

葛西は眉《まゆ》をひそめる。

住職。知人の夫。医師。刑事二人。そして祖母。

天沢響に関わった人間が六人も死んでいる。それも薬指の欠損か損傷という共通項を残して。これで行方不明の知人の妻や動画配信者が遺体で見つかり、その薬指がなかったとしたら……。

（なんなんだよ）

ひと言で答えを言えそうだが、葛西にはそれを許すだけの度量はない。

歯嚙みしていると、車から降りようとしていた曽根が声を上げた。

「わっ！　葛西さん！　血ッ！　血！」

視線の先には、車内灯に照らされた、葛西自身の手があった。

「……あ？」

左手の薬指付け根から血が流れている。右手を見ると、爪先が赤く染まっていた。

「なんで、そんな！　えっと、病院！」

慌てふためく曽根の横で、葛西は血塗れの薬指をじっと見詰めるしか出来なかった。

葛西が事故死したのは、翌日のことだった。

轢《ひ》き潰されたのか、左手薬指がなくなっていた。

第二十章　同化 ―― 出口 民綱

暁の太陽が、周囲を乳色に染めていく。
靄《もや》と樹木に閉ざされた樹海にも朝がやってこようとしていた。
出口は胸一杯に空気を吸い込むと、背筋を伸ばした。
近くでは、県警から派遣された警官隊が大声を上げている。
「阿久津美優さーん！　いたら返事して下さーい！」
ボランティアが多数参加しているが、未《いま》だ発見や手がかりには至っていない。
一昨日出会った若者たちが、昨日の朝、警察に捜索願を出したのだ。
出口は注意深く、一本一本、木を舐《な》めるように確認していく。
それこそ、根元から樹上まで、だ。
（ここまで探していねぇんだったら……）
何本目の木だったか。出口が目を剝《む》いた。
その様子に気付いたのか、亜子が近付いてきた。
「出口さん……？」

「来るな！」

鋭い声と掌《てのひら》で制す。亜子は叱られた子供のように立ち止まった。

（コイツは……）

出口の目の前にある木から、一本の白い腕が垂れ下がっていた。

すんなりとした線を描くそれは、女性のものだとすぐ分かる。

（くそッ……）

出口の視線が僅《わず》かに上がった。

幹の中ほどに、女の顔があった。長い髪が陶器のように白い頬へ掛かっていた。丸く見開かれた両眼は、今にも零《こぼ》れ落ちそうだ。

顔の周りには醜い臓物のような枝が巻き付いている。

胴体も似た状態だが、所々を無造作に枝や根が抉《えぐ》り、貫通しているようだ。

大きく開かれた両足の間にも根が這《は》入《い》り込み、そこから流れ出た赤黒い液体が固まりかけ、粘つくように鈍く光っている。

全身に枝や根が絡みつき、宙《ちゅう》吊《づ》りのような状態だ。が、一方ではこの木に女が埋め込まれ、同化しているようにも見えた。

無残。ただそれしか言い表す言葉がなかった。

出口はポケットから写真を取り出し、もう一度顔を見上げた。

(……コイツが、多分)

探していた人物のひとりだと、彼は確信する。

振り返ると、何か言いたげな亜子の後ろでは、警察隊が見当違いの方向を探している。

彼らはこの痛ましい女性の遺体——美優の存在に全く気がついていない。

(……また、か)

長い間、樹海でパトロールを続けていた出口は、希《まれ》にこのような死体に出くわすことがあった。いや、昔、集落にいた頃にも。

ただし、遊歩道近くでは一度もなく、樹海の奥であることが多かった。

しかし今回はそこまで深い位置ではない。何かがおかしい。

(森のカミの仕業か……それとも)

幹に食い込む美優の遺体に手を合わせ終えると、出口は警察隊の方へ歩き出した。

第二十一章　端緒　――　天沢 鳴

瞼《まぶた》を透けた白い光が、目覚めを誘う。

鳴がゆっくりと瞼を開けると共に、軽快な包丁の音が耳に届き始めた居間の畳の上に横たわったまま、台所の様子を覗《のぞ》く。

真二郎が流し台のまな板の上で何かを刻んでいた。

（……ああ）

身体にタオルケットが掛けられている。久しぶりに夢すら見ず、深く眠ることが出来た。

鳴が身体を起こしたのに気付いたのか、彼が振り返り、微笑んだ。

「おはよう」

「おはよう」

昨日、真二郎に抱きしめられたまま、眠りに落ちたのだと思い出す。普通に挨拶を交わせることが、こんなに嬉《うれ》しいことを知った。

「……昨日はごめんね」

「ううん」

なんでもないことだと言わんばかりの態度で、真二郎が料理に戻る。

(前の、真二郎だ)

火事以来、ギクシャクしていた関係が全て消え去ったかのようだ。

「私も手伝うよ」

「いいよ。ゆっくりしてて……疲れてんだろ……」

泥みたいに眠ってたぞ、と、まな板を見詰めながら笑みをこぼす。

「いいよ、手伝うよ……」

鳴はすっくと立ち上がり、台所へ入る。

(何、作ってるんだろ?)

真二郎が振るう包丁の先に視線を落として、身が凍りそうになった。

まな板が真っ赤に染まっている。

悲鳴を上げた。しかし真二郎はキョトンとしている。

「え?」

鈍く光る包丁の切っ先が、彼の左手薬指の付け根に深く差し込まれていた。

「なにしてんの⁉」

こちらの言葉の意味が分からないのか、真二郎は首を傾《かし》げる。

鳴は真二郎に飛びついた。彼もまた、我に返ったように声を上げ、包丁を取り落とした。

左手を押さえて苦悶《くもん》した顔で唸《うな》っている。

鳴はスマートフォンを摑《つか》み、タップを繰り返す。

「あ、もしもし！　あの！　すみません。あの、今、今、指を切っちゃって……あの」

一一九番へ通報しながら、鳴は後ろを振り返った。

台所に立ったままの真二郎が、こちらを見詰めている。

虚ろな目だった。

血塗《ちまみ》れの両手で握った包丁を、自身の右の首筋に当てている。

そして、戸惑うことなく、一気に刃を引き下げた。

辺りが、真っ赤に染まった。


（真二郎――）

まばらな患者の中、鳴は総合病院外科の待合室に項垂《うなだ》れて座っている。

手術は成功したが、失った血液が多い。予断を許さない状況だと医者は疲れ切った顔で言った。駆けつけてきた真二郎の母、弓子は何も言わず責めるような目で鳴を睨《にら》み付ける。いたたまれなくなって、待合室へ逃げて来た。

椅子に座った途端、全身から力が抜け、何も出来なくなる。

ぼんやりと床に視線を落としていると、泥で汚れたトレッキングシューズの爪先が視界に入ってきた。

顔を上げると、厳つい顔の――出口がこちらを見下ろしていた。

「ちょっと、いいか?」

首を傾げると、相手は焦《じ》れたように言い放つ。

「来い」

出口に誘われるまま、外へ出た。強い日差しが肌を灼《や》く。暑さのおかげで、心身の感覚が戻ってきたような気がした。

病棟同士を分かつ通路まで来ると彼は立ち止まり、唐突に吐き捨てた。

「あんたら、どうなってんだ……?」

言葉の意味が分からない。戸惑う鳴に、出口はため息をひとつ吐き、仏頂面で言い放った。

「アンタらが探しているヤツ、見つかったぞ」

美優が見つかったこと。ただしそれは異様な状況の死体であったことを教えられる。

ショックのあまり、口がきけなくなる。

更に輝が死んだことと真二郎が病院に運び込まれたことも彼は知っていた。どこから知ったのかと問うと、蛇《じゃ》の道は蛇《へび》だと、笑いもせずに続ける。

「ここにあんたがいるって、聞いてな。なあ、あんたらどうなって――」

「あの」

相手の言葉を遮って、やっとの思いで鳴が口を開く。

「箱……って、なんなんですか？」

この前と違い、何故《なぜ》か出口が目を剝《む》いた。

「アンタ、箱を見たのか？」

押し殺した威圧感のある声に気圧《けお》されながらも、鳴は訊《き》き返す。

「あれ……なんなんですか？」

小さく息を吐き、出口が語り出した。

「樹海で死にきれなかった人間は、森の中に村を作った」

出口は、何度か言葉を区切りながら、箱の由来を説明する。

樹海周辺の村は昔――少なくとも江戸時代辺り――から、間引きとして障害者を神の森と言われる青木ヶ原樹海へ棄《す》てていた。同時に、森のカミへ鎮めの供物としての意味も持たせながら。

森の中は野犬が多数生息している上、過酷な環境であるから、そのほとんどが死ぬと思われていた。が、中には死に損なった者同士が身を寄せ合って生き続けることもあった。

それらが村を造り、そして棄てた側を恨み、呪った。

「箱はそこで生まれたって話だ。樹海の呪いだな」

鳴の理解が追いつかない。それでも出口は勝手に話を続ける。

「棄てられた人間の中に、大怪我《おおけが》をして腕が上手く振るえなくなった職人崩れや、呪術に詳しい人間がいたはずだ。そういう連中を中心に、村総出で呪いの箱を作った。自分たちを棄てた連中への意趣返しとして」

箱の出自に、今度は鳴が目を剝く。

「呪いは今も続いている。ほら、その証拠があるだろう?」

出口の問いに、鳴は首を傾げた。彼は重い口調で言い放つ。

「……樹海で死のうとする連中だよ」

確かに青木ヶ原樹海には自殺の名所としての側面はある。鳴だって知っている。しかし、それが何故今も続く呪いと関係するのだろうか。

納得出来ていないことを読み取ったのか、出口は説明を続ける。

「樹海の周りだけじゃない。死にてぇ奴《やつ》が日本中から集まってくる」

樹海と箱の呪いは、この国全体に広がっているのだと彼は断言する。

「それも、弱い人間を中心に、だ。呪いを強固にするために。樹海の村の住民を増やす為に。アンタはそう思わないか?」

鳴は素直に頷《うなず》けない。そんなことは信じられない。だから口を閉ざす。その様子を嘆息混じりに見て、出口は吐き捨てるように言った。

「手に余るもんを神の森に捨ててきたんだ。報いだろ」

報い。もしそれが本当だとしても、全く無関係な自分たちが何故巻き込まれなくてはいけないのか。やり場のない苛立《いらだ》ちを抑え込むように、鳴は目を伏せた。が、出口は不躾《ぶしつけ》に覗《のぞ》き込んで来る。

「昔……小さな姉妹を保護したことがある」

樹海の森から飛び出してきたところを、と彼は言い添えた。

唐突に鳴の脳裏に、幼い日の出来事がフラッシュバックする。

椅子や机が並んだ部屋で、お姉さんに遊んで貰《もら》った。まだ若い、今の自分くらいの人だった。すぐ傍《そば》では響がずっと絵を描いていて――。

「あの子たちは、森でなにをしていたのか……」

何か言いたげに、出口が遠い目をしている。

「なぜか、下の子の目がずっと引っかかっててな……」

あのとき、響の顔を食い入るように覗き込んでいた人がいた。厳つい顔をしていた。

鳴は改めて出口を見た。記憶の人物そのものが目の前に立っている。

「あの子は、森で村を見たんじゃないかって……」

鳴の足下がぐらりと揺らいだ。

樹海。箱。響。考えつくことは、ひとつ。

出口をその場に残したまま、鳴は走った。後ろから彼の大きな声が追いかけてきたが、それを無視して、駆けた。

自分たちが住んでいた家へ、天沢の家へ。

第二十二章　確信　――　天沢 鳴

日はまだ高く、熱気が辺りに満ちている。

うだるような暑さの中、鳴は汗だくで天沢の家を調べ始めた。

裏庭の納屋はすでに取り壊され、痕跡すらない。

仕方なく納戸から探してみるが、気になるものは見当たらない。

次に一階の押し入れだ。そこにもめぼしいものはなかった。

祖母の遺影と骨壺《こつつぼ》に手を合わせて断りを入れ、仏壇もチェックしたが、以前に祖母が見せてくれた母親の写真が一枚入っていただけだ。一瞥《いちべつ》してから、元へ戻しておいた。

思ったより時間が掛かる。すでに窓の外が暗くなり始めていた。

渇きを覚え、冷蔵庫から取り出した麦茶を飲む。人心地が付くと、今度はお腹が空《す》いてきた。台所で何かを作る気にはなれない。見れば水屋の上にお菓子がある。鳴たちの手料理を食べない響のために祖母が買い置きしていたものだ。鳴はありがたくそれを口にしながら、次にどこへ手をつけるか、考えた。

（後は、どこが……あ！）

一番探さなくてはいけないところを後回しにしていた。一気に階段を駆け上がる。

自室の隣にある、響の部屋のドアを勢いよく開けた。

淀《よど》んだ空気が溜《た》まっているが、気にすることなく足を踏み入れる。

廊下に灯《とも》った照明のお陰か、中は薄明るかった。

点《つ》けっぱなしだったパソコンのスリープを解除したが、パスワードが掛かっていて開けない。机周りをひっくり返す。何も出てこない。周りの壁にも怪しい部分はない。

何かないかと棚から本を次々に落とした。何も出てこなかった。

(ない。どうして)

響のことだから、何か記録をしていると思っていた。

予想が外れたことで脱力し、床のカーペットに腰を下ろす。

床に散らばった本が目に入った。呪術などのオカルトもの、樹海とタイトルに入ったものがやけに目に付く。小説ですら樹海という名であったたし、樹海のルポ本もあった。

(響は独りで調べていたんだ)

その中の一冊を手に取ったとき、カーペットの下に、木の削り滓《けずかす》のようなものがあるのを見つけた。鉛筆の削り屑でもなさそうだが、量はそれなりにある。どう考えても不自然すぎる。

鳴は邪魔な物をどかし、カーペットを捲り上げた。

思わず声が漏れる。

薄暗い部屋の中央、床一面に絵が描かれていた。

カラフルだけれど、稚拙で異様な絵だった。

目を凝らすと、削られた溝に沿って色が載せられていることが分かる。木屑の正体が分かった。使っているのは、カラーペンや色鉛筆、クレヨンだろうか。

絶対に消せないようにしてやる。そんな執念を感じる。

（……響）

妹はどうしてこんなものを描いたのだろう。

鳴の目が、ある一点に止まる。そこには血でなぞったような指の痕があった。

妹の血か。立ち上がりながら、全体を見渡した。

「これって」

絵は細かいパートに分けられている。

指の痕の傍《そば》に、石を抱くように絡みついた木。そこから矢印が伸び、その先に鳥居をイメージさせる何か。また矢印があり、小さな家が集まった絵がある。

そして、一際目を引いたのは、家の集まり近くに描かれた祭壇のようなものと――四角い物体の絵だった。

『あるとき、子供が呪われるのを恐れた女の人が自分を犠牲にして、樹海まで箱を戻しに行ったんだって』

響はそんなことを言っていた。もう一度床に視線を落とす。

特徴的な木。鳥居のようなもの。小さな家々。その近くに祭壇と四角い物体。それらを結ぶ、矢印。

出口の言葉が蘇《よみがえ》る。

(樹海で死にきれなかった人間は、森の中に村を作った)

――これがその村だとしたら、そこへ至る道筋を示したものなのか。

(これは、地図。あの箱を樹海へ戻すための地図なんだ)

いつ描いたのか分からないが、響が誰かに伝えるために残したものに違いない。しかし、何故《なぜ》自分に教えてくれなかったのか。これまで私が響を信じていなかったからだとしても、この前の面会で一言これの存在を伝えてくれれば良かったはずだ。

どうして、内緒にしていたのか、鳴は想像を働かせる。そして、一つの結論に達した。

(響は自分だけでなんとかしようとしていたのではないか)

誰も犠牲にしたくなかったから。その証拠に、たった独りで密《ひそ》かに箱を燃やそうとしていた。何故ならば、どうしても箱を樹海に戻せない事情があったせいではないか。

そこで仕方なく箱を燃やすという暴挙に出た。しかしそれは正しい選択ではなく、寺を焼き、良道を殺した。結果、響は自身の周り全ての人間関係を破壊し、病院へ入れられた。

その原因のひとつに、妹を信じられなかった自分があったのではないか。後悔してもしきれない。どうしたら響の覚悟に報いることが出来るのだろう。

鳴はある決意をし、スマートフォンを取り出した。

箱はまだある、と響は言っていた。ならばその所在を明らかにして、樹海へ返せば全ては収まるはずだ。

（そうだね。響──私が、樹海へ）

カメラアプリを起動する。響が残してくれたこの地図を記録しなくてはならない。

レンズを床に描かれた木の絵へ向ける。

光量の足りない中、絵が画面に映る。

その周辺に無数の顔認証が表示された。

心臓が跳ね上がった。もちろん、そこには誰もいない。無意識に息が上がっていく。

震える指で、シャッターボタンをタップした。

シャッター音と同時に、ストロボのようにある風景が視界に浮かぶ。

深い森の中、古い着物を着た人間たちが集まっている。

彼らの中には五体満足な人間がいない。

その中のひとりが錆《さ》び付いた鋏《はさみ》を手に持ち、自身の左手薬指を切り落とそうとしている。

切れ味が悪いのか、肉を押し潰すようにして刃が食い込んでいく。苦痛に顔が歪《ゆが》んだ。それでも右手に、鋏に力を込める。やっと刃が深く入る。しかし途中で何かが抵抗する。歯を食いしばり、彼は更に力を入れる。

ぽとりと、指が落ちた。

無理矢理食い千切ったような、歪《いびつ》で赤い切断面がそこにあった。

鳴は我に返る。

(何、今の?)

誰かが目にしたイメージが精神に割り込んで来た、そんな感覚だ。まさか、この絵が見せているのか。

混乱しながら、次に鳥居状の絵にシャッターを切る。またも目の前に何かが浮かんだ。

地面の上、一段盛り上がった土の台がある。表面は苔《こけ》むしていた。

その上に、不格好な寄せ木細工の箱がある。

大きさは、三段積みで小ぶりな重箱程度だ。

上蓋《うわぶた》がないため、内部が見える。材が分厚いせいか、四角い口は思ったより小さい。

先ほど森の人々が、不器用な手つきで切り取った薬指を入れていく。

再び正気づいた鳴の胸に、ある確信が浮かんだ。
(これは……)
樹海にある呪いの箱。それを作っているところではないか。
慄《おのの》きながら、次の絵に目を向ける。
描かれているのは、小さな家の集まりと、祭壇のようなものだ。
荒い息を吐きながら、その絵を画面内に捉えた瞬間だった。
鳴は我が目を疑った。
液晶に表示された薄暗い絵の中央に、あの箱が浮かび上がるように映し出されている。
思わずスマートフォンから視線を外し、床を見た。
箱はない。
もう一度画面に目を戻す。
箱がある。ないものが映り込む様は、まるで拡張現実《AR》のようだ。
咄嗟《とっさ》に後じさる。
踵《かかと》に何かが当たった。振り返った。
床の上に、あの箱が、あった。
傷《いた》んだ寄せ木細工の、薄汚れたあの――呪いの箱が。

鳴の口から悲鳴が漏れた。一度声を出すと、今度は止まらなくなる。彼女は思うさま、何度も繰り返し繰り返し、叫んだ。

それでも箱は消えない。

鳴は、わなわなと震える両手で自身の顔を両側から摑《つか》んだ。自分を保つための行動だった。次に大きく呼吸を繰り返す。

そして、目を閉じてから、ゆっくりと開けた。

やはり、箱は消えずに依然としてそこにある。

床にそそり立っているそれを睨《にら》み付けた。ひと呼吸置き、一歩、二歩と相手に近づく。そして、恐る恐る摑み上げた。たった今、自分の顔を摑んだのと同じような要領で。

見た目より重い箱の中で、何かが揺れたような気がした。

第二十三章　道標　──　天沢 鳴

朝靄《あさもや》を含んだ空気が身体に絡みつく。

足が僅《わず》かに痛み出していた。

夜を徹して歩き続け、鳴はようやく青木ヶ原樹海に入った。

車で移動する距離だったが、自らの足で辿《たど》り着く他に方法はなかった。

背中に布製のリュックを背負っている。重かった。

中には、あの箱が入っていた。

帽子を取り、腕で顔の汗を拭いながら、鳴は天を仰ぐ。

幾重にも重なった枝葉の間から、真夏の朝日が顔を覗《のぞ》かせていた。

地面を踏みながら、鳴は息を切らせる。

(やっぱり、歩きにくい)

あの夜、輝が怪我《けが》をしたことを思い出す。溶岩流が固まった地表が、人間を拒むように波打つように乱れた状態で広がっていた。

鳴はリュックを背負い直し、ただ歩を進めることだけに集中した。

どれくらい歩いた頃か。鳴の目に一本の大木が映った。

根元に大きな岩を抱えている。

（あの絵のやつだ）

スマートフォンの画像を確かめると、ここを越える方向へ進むべきであるようだ。

不慣れな手と足運びで岩を乗り越える。

顔を上げると、少しだけ離れた場所に何かを見つけた。

瞬時に忌避感が湧き出してくる。

細い枝で組まれた人形。石などで作られたモニュメント状のもの。それら意図が読み取れない物体を横目にしながら、鳴は進む。凹凸に足を取られながら、必死に歩き続ける。

少し開けた場所へ出た。

荒い息を繰り返す鳴の目に、明らかに人の手が入った物の群れが飛び込んできた。

太い枝や草などで組まれたそれは、教科書で見た竪穴式住居よりも稚拙な造りの家々だ。

長い時間風雪に晒《さら》されたせいか、傷《いた》みが激しい。中には朽ち果てかけたものもあった。

生活の痕跡はさほど残っていない。

当然だが人の姿はなく、廃棄された集落を思い起こさせる。

周囲を見渡すと、やや離れたところに、なだらかなスロープ状に一段高い場所があった。

頂上付近に鳥居状に二本の木が立てられ、その向こうに祭壇めいた苔《こけ》むした台らしき物が設《しつら》えられている。

警戒しながら緩い坂を上る。

(ここだ)

恐る恐るリュックを下ろす。重さは変わっていない。手を入れるとちゃんと箱は入っている。ホッと息を吐いた。

手に取ると、やはり見た目より重い。

掌《てのひら》にガサついた感触を感じながら、祭壇と思《おぼ》しき場所に置く。

手を離し、身構えながら少し下がった。

何も起こらなかった。

ここまでの道のり、特にトラブルはなくここまで来られた。箱の返還も呆気《あっけ》なく終わった。拍子抜けと言えば拍子抜けだが、まだ油断は出来ない。

鳴は、後も見ずにそこから逃げるように離れた。

足が取られそうになる。やはり足場が悪い。必死になって進むうちに、自分がどこにいるのか分からなくなった。周りの木は全て同じに思えるし、目印になりそうな特徴的な景色もない。

全身から冷たい汗が噴き出す。

(迷った……?)

咄嗟《とっさ》にスマートフォンを手にし、地図アプリを立ち上げる。

GPS信号を受信できないのか、現在位置は不明だった。

コンパスは用意していない。アプリのコンパスもインストールしていない。ダウンロードをしようとしたが、出来ない。何故《なぜ》ならアンテナそのものが立っていない。これでは通話もメールも不可能だ。もちろん、助けを呼ぶことも。

慌てふためき、もう一度周りを見渡した。

木、木、木、木。緑の樹木と青い苔がただ広がるだけだった。

立ち止まっていても事態は好転しないことだけは、確かだ。

鳴は歩き出した。

人が踏んだ跡でも見つかれば儲《もう》けものだと、注意しながら黙々と足を動かす。

だが、それらしい痕跡はない。

嘆息しながら顔を上げると、少し離れた木々の間に動くものが目に入った。

人の姿だった。

黄色いジャケットを着た、それも女性のようだ。長い髪と体格で分かる。

「すみません! ……すみません!」

精一杯の声で鳴は呼びながら、駆け寄っていく。相手が振り返った。

目がぱっちりとした、可愛らしい顔立ちの女性だった。

鳴の姿を認めて、女性の表情がパッと明るく変わる。

「あー、良かった！　人に会えた！」

安堵《あんど》したかのように、喜ばれる。

まさか、この人も森を彷徨《さまよ》っていたのだろうか。鳴は自身が置かれた状況をストレートに説明した。

「迷ってて……」

相手はすぐに合点がいったようだ。

「やっぱり？　……だよね。だって、ここGPSもコンパスも効かないし……」

女性も困った顔を浮かべた。彼女も道に迷っているのだ。

二人が途方に暮れていると、背後から男の声が響き渡った。

「アッキーナ！」

振り返れば、地面の起伏を越えて眼鏡を掛けた若い男がやって来る。その後ろから、中年女性が続く。

眼鏡の男の目が、アッキーナと呼ばれた黄色いジャケットの女性を捉えた。

「あー、いたいた！　いなくなったかと思った」

男性と女性は、アッキーナと呼ばれた女性を目指し、近寄ってきた。この人の同行者だろうか。だとすれば、彼らは助けに来たのではなく、同じ遭難者ということになる。

途中、中年女性が鳴に気づき、指差す。

「誰かいる……誰かいるよ……！」

眼鏡の男も鳴に顔を向ける。

「誰、誰？　あー、助かった……」

助かってなどいないと、鳴は心の中で漏らした。

「……あ、おーい！」

また別の声が聞こえた。

振り返るとこちらへ向けて、ふくよかで若そうな女性の他、二人の男性が駆け寄ってくる。

総勢六名の人間が鳴の前に揃《そろ》った。全員、身体中に泥や草、葉っぱを付けて汚れており、疲れ切った様子を漂わせている。長い時間樹海を彷徨っていたのだろうか。

「アンタも見た？　変なモン？」

中年女性が馴《な》れ馴れしく鳴に訊《き》いてくる。変なもの。多分、あの人工物や祭壇らしきもののことだろう。警戒しながら頷《うなず》くと、もうひとりの若い男が吐き捨てるように声を上げた。

「ここ、ヤッべーよ……」

何がヤバいのか伝わらないまま、中年の男が話に加わってくる。

「樹海に一度足を踏み入れたら二度と出られない……決して都市伝説なんかじゃなかった」

眼鏡の男が怒声を上げる。

「出れねーとか言うなよッ！」

ふくよかな女性はその場にしゃがみ込み、泣き言を漏らした。

「あー、やっぱ、来るんじゃなかった……」

鳴も、ほんの少しだけ絶望的な気分になった。

「でもほら、とりあえず、進も？　皆で一緒に行こう？」

アッキーナが全員に声を掛け、自己紹介を始めた。

「私は、アキナ。こっちが……」

アキナだからアッキーナか。後を継いで、眼鏡の男がピル男と名乗る。ニックネーム的だから、本名ではあるまい。中年女性は、昼顔。もうひとりの若い男はラジオヘッド。中年男性はタルピオット。ふくよかな女性はド腐れゾンビ、と続ける。

（ネットで使うみたいな名前……オフ会か何かで樹海に来て、それで迷ったのかな）

何気なく鳴は空を見上げる。太陽はまだ高い位置にある。

アキナが号令を掛けた。

「さ、行こう！」

代わり映えしない景色の中、黙々と一同は歩いた。

「あ」

唐突にアキナが声を上げ、どこかへ駆けていく。

「あー！　あった、あったあった！　みんな、あったよ！」

彼女の傍《そば》に聳《そび》える木の幹に巻かれた赤いテープが、どこかへ向かって伸びている。

「え？」

テープが何だというのだろう。鳴は首を傾《かし》げた。

「あたしが話してた命綱！」

そこで初めて、アキナが樹海内に道筋の目印を付けており、それを見失っていたことを察することが出来た。

全員が色めき立つ。

アキナはテープを手に取り、軽く引っ張った。テープは少し盛り上がった岩場の向こうへ繋《つな》がっている。

アキナと鳴以外の全員がテープへ群がり、我先にと岩場の陰へ消えていく。まるで芥川龍之介《りゅうのすけ》の「蜘蛛の糸」に出てくる亡者のようだ。

鳴はアキナを振り返った。

「いいの。先行って」

礼を言い、鳴は素直に従った。岩の角度が予想外にキツい。疲れた足が進まない。アキナが背中を押して手伝ってくれる。

鳴はなんとか岩を越えた。

息を弾《はず》ませながら顔を上げ、上るテープの先を目で辿る。

途中を、誰かの手が握っていた。

見覚えのある黄色いジャケットの袖から、その手首は伸びていた。

「……え？」

鳴は、袖から肩口、そして襟元へ順番に沿わせるように、視線を動かす。

酷暑で傷み、膨らみかけた死人の顔があった。

ただし、見覚えのある面差しがそこに残っていた。

後ろにいるはずの、アキナの顔だった。

その背後には大樹が聳えている。

テープはアキナの首をグルリと一周し、そのまま樹上へ伸びていた。

(駄目。もう、やめないと。駄目だ。上を見たら)

しかし鳴の目は、自らの意思を無視するかのように動きを止めない。そのままテープを辿ってしまう。

ハッ、と口から息が細く漏れた。

木の上方に、さっきまで一緒に歩いていた五人の姿らしきものが宙に浮いている。

いや。モズの速贄《はやにえ》のように、かれらの身体は太い枝で貫かれている。

つんとした臭いが強まった。鼻を殴られたような痛みを伴う、強い腐臭だった。

鳴に向かって、パラパラと何かが降ってくる。

顔や身体に当たった白い粒が微《かす》かな音を立てながら、足下へ落ちて行く。

視線を落とすと、地面の上に無数の蛆《うじ》が這《は》いずり回っていた。

悲鳴すら上げる余裕もないまま、後ろに飛びのく。

そのとき、木がある方から何かがこちらへ倒れてくるのを、視界の端に捉えた。

顔を向けると、アキナの身体がすぐそこまで迫ってきていた。

避けられない。目を閉じてしまった。身体に強いショックを感じる。粘つくような肉の腐敗臭がすぐ近くで弾《はじ》けると、顔に得体の知れない湿り気を帯びたものが当たり、ぐずりと崩れた。これまでの人生で嗅いだことのない、酷《ひど》い悪臭が鼻先で一気に広がった。

鳴は、あらん限りの声で叫んだ——そして、そこでプツリと意識が途切れた。


白い。

白く四角い世界を、鳴は見ている。

四方が柔らかな素材で作られた。味も素っ気もない世界。

唯一ある小さな窓は高く、手が届きそうにない。そこから差し込む陽の光が、白い壁を汚すように染みのような陰を作り出している。

その陰は梢《こずえ》の形をしていた。が、次第に人間の腕のシルエットへ変容していく。

影の腕が壁を抜け出し、こちらの二の腕を摑《つか》んだ。

また一本、腕が伸びてくる。更に、もう一本……。

複数の腕に捕らえられ、持ち上げられそうになった。

声にならない叫びを上げると、腕は波が引くように壁へ戻り、再び梢の影となった。

口から、無意識に言葉が漏れ出る。

〈おねぇ……ちゃん……〉

力ないその声は、何故か響のものだった。

そこで、スイッチが切り替わったように場面が変わる。

今度は何もない。黒色の世界。

鳴は、自分の身体がそこにあることだけを知覚する。

手足が動かない。何かに固定されているかのように、自由にならない。何かが爆《は》ぜる音が微かに繰り返される。鼻先を、粘つくような鉄臭さと腐った卵の臭いが包んでいた。

次第に、覚醒していく。瞼《まぶた》が、開いていく。

目の前が白く霞《かす》んでいた。

誰かが、左の耳元で囁《ささや》いた。


――なんで、来たの……。


聞き覚えのある、懐かしい声だった。

朦朧《もうろう》としながら、鳴はそちらへ顔を向ける。

薄く紗が掛かった視界の中に、知っている顔があった。

（……ま、ま？）

鳴と響の母親。死んだはずの琴音だった。

小さい頃に撮った、あの写真のままの母親の顔だ。

「ママ……？」

ぼんやりした頭のせいか、無意識に幼い頃の呼び方に戻っている。母親の身勝手な死から、決して使うまいと決めていた、呼び方に。

愁いを湛《たた》えた表情の琴音が、案じるように頭を撫《な》でてくれる。

安心したせいか、鳴は再び黒一色の世界へ、落ちていった。

第二十四章　儀式　――　天沢　鳴

強い鉄の臭い。そこに紛れるように、硫黄《いおう》と腐った肉の臭いが混じる。
酷《ひど》い臭気に、鳴は目覚めた。
霞む目が戻ると、揺らぐ橙色《だいだい》の光が真っ先に目に飛び込んできた。
次に、高い場所で覆い被《かぶ》さるように重なる黒い梢《こずえ》。
そして、その梢の合間からかろうじて見える、真っ暗な空。
知らぬうちに降りていた夜の帳《とばり》の中、仰向けになった鳴は沢山の篝火《かがりび》に囲まれている。
現状を把握する為に上半身を起こそうとしたが、身動きが取れない。
（……何、これ）
足、身体、腕、全てを細い縄で縛り上げられ、何かに固定されていた。
起き上がれない鳴の目の前に、二つの影が覗《のぞ》き込んでくる。
「やっと来たな」
片方の影から、聞き慣れた声が聞こえた。
輝だった。

「おっそーい」

隣で微笑んでいるのは、美優だ。

我が目が信じられない。美優は樹海で、輝は病院で飛び降りに巻き込まれて――。

篝火の中、二人が朗々と鳴に告げる。

「鳴もこれから、この村に住むの」

「大丈夫だよ、俺たちも一緒だから」

村？　住む？　鳴は混乱へ叩《たた》き落とされる。自我を保つかのように左右を見渡すと、昼間見た鳥居のような二本の木と、スロープの先にあった祭壇が目に入った。

輝が、左手を伸ばしてくる。薬指がすっぱりと切れたかのように無くなっている。彼の手が頰に触れた。酸《す》い腐臭がした。彼はにこやかに口を開いた。

「もうすぐ響も来るよ」

響が来る？　どこへ？　ここに？　どういうこと？　あの子は今も、病院にいる。しかし、輝の口振りはそれが確定事項のような断言口調だ。

（響――妹には手を出させない）

輝の言葉が何を意味しているのか理解出来ていない。が、妹へ手出しをするのなら、絶対に抗《あらが》ってやる。

怒りと共に拘束から逃れようと、鳴は必死に身体を捩《よじ》る。力を込めるが、びくともしない。特に硬く縛られている左手に強い痛みが走る。

美優が傍《かたわ》らに立った。

もがく鳴を、小馬鹿にしたような微笑みで見下ろしている。その右手には錆びて古びた鋏が握られていた。添えられた左手には薬指がない。当然、結婚指輪も失われている。

これから先、何が自身の身に起こるか、鳴には容易に想像がついた。

「……やめ……て…やめて……！」

咄嗟《とっさ》に拒む鳴の叫びが響き渡るが、暗い空に虚しく消え去っていった。

それに呼応するかのように、木々や岩の陰から、沢山の人影が滲むように姿を現す。それぞれ、腕や足がない。盲《め》しいている。首が肩に付きそうな程曲がっている。背中が膨れて飛び出している。

中には生まれたばかりの赤子や、腐りかけた子供を抱く女の姿もあった。

彼らは物欲しそうに、羨ましそうに、鳴の方を見上げ、思い思いに腕を伸ばし、近づいてくる。両腕で。右腕がなければ、左手で。左腕がなければ、右腕で。両方なければ、大きく口を開けて、長い舌を出す。

差し出されたのが左手の場合、そこに薬指はない。いや、視界に入る中で左手がある者全てが、薬指を失っている。

美優がくすりと嗤《わら》った

「左手がある人間がこの村に住むには、資格が要るの。だから鳴も、ね？」

彼女の鋏が、鳴の左手薬指の付け根に当てられた。ひやりとした感触に、鳴は声が出せなくなった。

美優の手に力がこもった――かと思ったが、すっと鋏が引かれる。

傍らから、もう一本の左腕が差し出された。女の腕だった。この手も薬指がない。美優はそちらへ鋏を渡した。

す、と誰かが覗き込んできた。

（何故《なぜ》）

受け取ったのは、母親の琴音だった。

彼女は、鋏を手にこちらを見下ろす。

鋏がない方の手で、鳴の額から頬にかけ、愛おしむように撫《な》でていく。

「どうしてッ」

応《こた》えはない。有無を言わせぬが如《ごと》く、琴音の右手が鳴の左手首を摑《つか》んだ。

鋏の両の刃先が、薬指を挟む。

琴音は、薄らと微笑んだ。

濡《ぬ》れた繊維が一気に裁ち切られるような音に続き、犬が骨を嚙《か》み砕いたような鈍い音がすぐ傍《そば》で聞こえた。

しばしの間が空き、輝が腰を折る。地面から右手に何かを摘まみ上げた。そして、呆然《ぼうぜん》としている鳴の顔前にそれを突きつけた。

細い、女の薬指だった。

輝と美優はさも満足げに笑みを浮かべると、鳴の頭の方へ回る。

そこは、あの箱を戻した場所、祭壇である。

二人が、何かを頭上に捧げるのが目に入った。

鳴が樹海へ持ってきた、呪いの箱だった。

周囲にたむろしている連中が歓喜を爆発させて、祭壇へ押し寄せて来る。

騒乱の中、鳴は傍に立つ母を見詰めていた。

(……どうして?)

鳴の左手にはちゃんと薬指がある。

代わりに、母の右手から薬指が失われていた。切り口から大量の血が流れている。思わず声を上げかけた。

「……黙って」

鳴の言葉を制し、琴音は縄を切っていく。

「早く」

母に手を引かれ、鳴は追われるように祭壇から下りる。

輝も美優も、その周囲を取り囲むように集う連中も、興奮のあまりなのか誰ひとり鳴と母親の動きに気がつかない。

二人は足を速める。

握られた手の感触は懐かしい。しかし、失われた薬指の違和感があった。

母親に手を引かれる安心感と共に、忘れていることが蘇《よみがえ》りそうになる。

それが何かも分からずに、鳴は母親と昏《くら》い森へ入り込んでいった。

第二十五章　過去 ―― 天沢 鳴

輝の、美優の、亡者たちのどよめきが後方へ遠ざかる。

力強く手を引く母の背中を見詰めながら、鳴は必死に足を動かす。

身体が痛い。少し休みたい。どうなっているのか知りたくて、後ろを振り返りたい。でも、もしすぐそこに何かが追いかけてきていたら。だから、振り返れない。止まれない。

今、やるべきことはただひとつ。前に進むだけだ。

そう決意した瞬間、鳴の足下から地面が消え失《う》せた。

あっ、という間もなく、二人は奈落の底へ落ちていく。

固い地盤に叩《たた》き付けられた。一瞬呼吸が止まりそうになる。激しい傷《いた》みが右足首を襲った。思わず手をやると、激痛と同時にぬるりとした感触が伝わる。足首を切ったようだ。

暗がりの中、やっとの思いで目を開け、呻《うめ》きながら、鳴は母を呼ぶ。

しかし応《こた》えがない。現状を確認しようと頭上を仰ぐ。高いところに大きな穴がポッカリと口を開けていた。

樹海の木々の隙間を避けるように、白んでいく空の断片が覗《のぞ》く。

鳴は溶岩流で出来た縦穴に落ちたようだ。大人の身長三人分よりも深い。

僅《わず》かに差し込んでくる光を頼りに、内部の暗がりに目を凝らし、母親を探す。

その瞬間、ふっ、とある光景が浮かんできた。

（私、知ってる。前にもこんなことが、あった）


遠い過去。まだずっと小さかった頃。

真っ暗な森の中を、母に手を引かれ、走った。

小さな足が地面のデコボコにはまりそうになって、何度も転び掛けた。

握られた手が途中で切れてしまう。

待ってと母に頼んだけれど、しっかりして、とただ励まされた。

その母の胸には、幼い響が抱かれている。

鳴は、母と響の三人で樹海の中をひた走っていた。何かから逃げていた。

必死に母を追いかけていると、地表に張った根に足を取られ、激しく転んだ。痛みで泣き叫んだ。根が足に絡みついて離れない。母と響が自分を呼んだ。鳴、おねえちゃん、と。

駆け寄ってきた響が、足に絡みついた根を外そうと躍起になっていた。母も必死になって根を千切った。じっとしてて、と言いながら。

そこを狙い澄ましたかのように根が変化した。人の腕そっくりに。

腕の根元に大きな穴が開き、鳴を地中へ引きずり込もうとする。

母は、鳴を突き飛ばした。

そして、そのまま穴へ、声もなく落ちていった。

鳴と響が穴の縁に駆け寄って叫ぶ。

ママ、ママ、と、何度も。

どこにいるの。大丈夫？　と。

（──そうだった）

蘇《よみがえ》る鮮明な記憶に、鳴は穴の中で身を震わせる。思わず上を向いた。

そこには、幼い頃の自分と響の姿がある。

穴の上で、響が叫ぶ。

「ままっ」

母の声が返ってこない。妹は何度も繰り返し呼びかけている。

「まま？　まま！　ねぇ、どこいるの？　……だいじょうぶ⁉」

その横で、小さな自分が母を案じていた。

（ああ、そうだった。私と響は──）

今、目の前で展開されている幼い頃の記憶は、樹海の瘴気《しょうき》が見せる幻影か。それとも別の何者かが見せてくれている真実なのか。

分からないまま幻を前に呆然《ぼうぜん》としている鳴の耳に、母の呻《うめ》き声が届く。

すぐ傍《そば》。左から。近い。

咄嗟《とっさ》にそちらへ顔を向ける。母が倒れている。

足を押さえていた。指の隙間から血が溢《あふ》れていた。

顔を顰《しか》めながら、母は穴の上にいる娘たちに叫んだ。

「来ちゃダメ！　……来ちゃ、ダメ……！」

ママ、ママ、と幼い二人は繰り返した。母は必死に立ち上がろうとするものの足が折れており、どうしようもなかった。

激痛に耐えながら、母は再び叫ぶ。

「鳴……行って！」

まだ幼かった姉妹は母の言葉を上手く理解出来ず、何度も意味を訊《き》き返す。

「ママは大丈夫だから！」

悲壮な決意を浮かべながら、母は怒鳴るように鳴に命じる。

「鳴、響を連れて行きなさいッ！」

穴の上で戸惑っている幼い鳴を突き放すように、その声が轟《とどろ》く。

「いいからッ！」

鳴は響の手を取り、穴から離れようとし始めた。母は僅かに安堵《あんど》を浮かべながら、もう一度だけ呼び止めた。

「鳴！」

足を止める鳴に、微笑みながら、母が最後の願いを託す。

「響のこと、ちゃんと見てあげてね……」

鳴と響の姿が消えるのを見届け、母——琴音はその場に頽《くずお》れた。


（……私は、響をちゃんと見てて、って）

お願いされていた。そうだ。母の最後の願いだった。

鳴の記憶が完全に蘇る。

でも、約束を破った。この時のことを綺麗《きれい》に忘れ去っていた。母親は自分たちを置いて自殺したのだと、祖母の言い分を頭から信じ、そうだと思い込んでいた。響のことだって、全然、信じてあげられなかった。

どうしてそんなことになったのだろう。祖母の言葉が強い暗示になったのか。あるいはそれ以外の何者かが意図的に記憶を封じていたのか。例えば、忘却させることで樹海の、箱の呪いから鳴を遠ざけて護《まも》ろうとした母親の想い——。

「ママ……」

鳴は、母を呼ぶ。幻の母がいた場所へ足を引きずりながら懸命に近づく。

そこには、白骨化し、苔《こけ》むしたひとつの遺体が横たわっている。

寂しかったね、ママ。約束を破ってごめんなさい。そして、また護ってくれたね──鳴の両目から大粒の涙が零《こぼ》れる。

「ごめんなさい……私、ずっと……ごめんなさい、ママ……」

私は、貴女《あなた》の娘で、響の姉で、本当に良かった。ありがとう。とめどなく流れる涙の中で、心からの謝罪と感謝を繰り返す。


──鳴、いいのよ……鳴、いいから、逃げて。


母の温かな声が、鳴を包む。

そこへ、カラン、と小石が落ちてきた。

鳴は穴を見上げる。

輝と美優が、じっとこちらを見下ろしていた。

その顔はすでに腐敗すら越えて、干からび始めている。

二人の頬が引き攣《つ》った。嗤《わら》ったようだった。引っ張られた皮膚の一部がポロポロと剝《は》がれ落ちてくる。

輝があの箱をゆっくりと穴の上に翳《かざ》した。

そして逆さまにした。蓋《ふた》は外されたままだった。

中身が穴の底へ降り注ぐ。

咄嗟に飛びよける。足下に粘ついた赤黒い液体が広がった。その中には、無数の指が混じっている。切り取られた薬指だ。

硫黄臭《いおうしゅう》。鉄錆の臭い。腐った肉の臭気が混じり合って広がる中、鳴は信じられないものを目にした。

切断されている指たちが無造作に動き出したのだ。それは尺取り虫の動きに似ていた。

蠢《うごめ》く指から、ジワジワと何かが染み出していく。増殖する細胞か。いや、広がる影か。

それは次第に人の姿を形作っていく。

手足のいずれかがない人間。目玉が、鼻が、口が、あるべき場所にない人間。背中や腹が異様に膨れ上がり、まっすぐ立てない人間……。

現世の者ではない存在が、低く、高く、苦しげな呻き声を放ち始める。

それは共鳴し合い、祈りの声にすら聞こえた。

立ちすくんだ鳴に、亡者たちは群れを成して襲い来る。

脱兎《だっと》の如《ごと》く逃げ出した。幸い、穴は横に伸びている。

しかし足場が悪い。幾度となく転んでしまう。溶岩で作られた地面は鳴の掌《てのひら》や膝《ひざ》を容赦なく切り裂いていった。

何度転んだときか。ついに、亡者の群れが鳴の背中を捉えた。
彼らは我先にと彼女の上に折り重なっていった。
昔日の恨みを晴らすが如く。

第二十六章　姉妹――天沢鳴

のしかかる重み。身体中を引っ張られる痛み。

鉄と硫黄《いおう》、腐った肉の臭い。口の中に広がる塩っぽい粘り気。

暴力の渦に鳴は巻き込まれている。

切り落とされた薬指から生じた幻のはずだ。それでも、全身に痛みが走っている。逃れようと必死に虚空へ腕を伸ばした。来ない助けを求めて、血濡《まみ》れの掌《てのひら》を突き出した。

その手を、誰かがしっかりと摑《つか》んだ。

亡者の隙間から、その人の顔が見える。

「ひ、びき？」

妹だ。病院にいるはずの、響だ。

「――響!?」

妹の手は力強い。鳴の身体を亡者から引き剝《は》がす。

急に獲物を奪われた連中は、何が起こったか理解出来ていない。

鳴は響に言葉をぶつける。

「響、どうして？　……私が助けに来たのに！」

箱を返して、全てを終わらせる。それが妹を、響を助けることだと一心に思って、ここまで来た。樹海の奥深く――樹海村まで。

「いいからッ……お姉ちゃん……」

鳴は感情が抑えられない。もう言葉にも出来ない。両頰を熱い涙が伝う。

亡者たちが二人の存在にようやく気付いた。

それぞれが洞窟内の木の根や岩、這《は》いずり回る虫を取り込みだし、大きく変化を始めた。ひと回り大きくなった身体は、苔《こけ》に覆われた獣のようだ。いや、それも正しくない。言い表せない禍々《まがまが》しい異形と化して、こちらへ迫って来る。

逃げなくては、と鳴は響の手を取る。だが、妹はその場を動いてくれない。

「……響⁉」

響は苦しげに胸を押さえ、身体をくの字に曲げている。背中を丸めたまま激しい呼吸を繰り返した。

「お姉ちゃん……」

響は鳴の手を強く握り返した。そして、意を決したように先に立って走り出す。

二人はよろけながらも、手を取り合って必死に走り続けた。

だが、途中で響の身体が跳ね上がる。まるで雷に打たれたようだ。

鳴の手を離し、その場に倒れ伏す。

「響ッ！　どうしたの⁉」

洞窟の底に這いつくばったまま、響は動けなくなった。全身で呼吸を繰り返している。

立ち止まるわけには行かない。妹を護《まも》らなくてはいけない。鳴は妹の手を引き寄せ、無理矢理立たせる。

「響、しっかりしてよ！」

鳴の叱咤で、響はなんとか立ち直った。二人は手を結びあい、再び走り出す。今度は鳴が先を行く。

必死に走りながら、鳴は不思議に思った。何故《なぜ》か洞窟内の所々が明るい。

溶岩の地盤の割れ目から、光が入っているのだろうか。お陰で逃げる助けになっている。

それに、それが事実なら地上は近いはずだ。だとすれば、もう少し進めば穴から出られる。

アイツらから逃げおおせることが出来る。

「響……！　行くよ！」

鼓舞するように声を掛けた瞬間、響が呻《うめ》く。

振り返ると妹の顔は痛みに耐えているような苦しげな表情に変わっていた。

見れば、首筋から大量の血が流れている。どこかで切ったのか。

「響！　どうしたの……血が」

「大丈夫……」

「なに」

「大丈夫だから、行こ！」

つらそうな妹から逆に励まされた。

後方の暗がりから、亡者たちがしつこく追ってくる。

響の足が縺《もつ》れる。もう限界なのだ。鳴は妹を背負おうと腕を取る。

洞窟の壁に反響する、悲しげな雄叫《おたけ》びが耳を打った。

亡者たちの叫びだった。

鼓膜に痛みが走る。鳴は思わず響から手を離し、両手で耳を塞いだ。

「お姉ちゃん……？　お姉ちゃん、お姉ちゃん……」

響が繰り返す。

「響……。響……響……？」

鳴も同じく繰り返し、答える。

響がポツリと呟《つぶや》く。

「……私を呼んでる」

何が？　誰が？　誰も呼んでいない。呼びかけているのは自分しかいない。他にあるのは、亡者たちの雄叫びだけだ。

「お姉ちゃんは……逃げて」

力なく垂れ下がった響の左腕を掴み、鳴は怒鳴りつける。

「なに言ってんの？　行くよ……！」

その掌を握り直したとき、猛烈な違和感に包まれた。

そっと、結んだ手を開く。

親指、人差し指、中指……次の指が、ない。響の左手に、薬指がない。

「……そんな」

不意に、美優の言葉が頭に浮かび上がる。

『この村に住むには、資格が要るの』

響は鳴の手を振りほどき、顔を上げた。

穏やかな表情がそこにあった。

響が鳴を優しく抱き締める。温かい。人が持つ温かさが伝わってくる。

少し身を離して、響は鳴の耳元に口を寄せた。

「ずっと一緒にいるからね……」

囁《ささや》きと共に、柔らかな吐息が掛かった。

唐突に理解した。

鳴はまた泣いた。自分の無力さに。妹の決意に。

優しい笑みを浮かべて、響は鳴を突き飛ばした。

(響)

響は鳴を見詰めながら、ゆったりと後じさりを始める。

(響)

妹が自分から離れていく。亡者たちの方へ、近づいていく。

(響)

見えない境界線が、鳴と響を阻んでいるような気がした。

涙に濡《ぬ》れた鳴の目の前で、響がゆっくりと瞼《まぶた》を閉じる。

次第にその身体が変化していく。

手足の先端が、樹木のように変容していく。

大樹の成長を早回しで見ているように、妹が樹木に変わっていく。

妹から伸びた根が、枝が、緑の苔に包まれながら洞窟を塞ごうとしている。いや、亡者たちすら抱くように取り込んでいく。

響は樹木と化し、天へ向けて伸びていった。

響の周りに、何ごとかを悟ったように目を閉じた亡者が絡みついて、一体化していく。

枝葉が溶岩の天井を突き破った。

降り注ぐ白い陽光が、樹となりつつある響を照らしていく。

亡者たちの叫びは聖歌のように折り重なりあい、荘厳に響きだした。
穏やかな響の顔は、まるで天に召される神の子や、聖母のようだ。
光に包まれながら、無意識のうちに、鳴は思った。
(いのちの、木。生命の樹)
響が、光の中でほんの少し微笑んだ。
広がる暖かな光に飲み込まれ、鳴はそのまま意識を手放した。

鳥の囀《さえず》りが聞こえた。
温かく硬い感触が身体の下にある。
ゆっくりと目を開けた。陽光が目を射す。
何度か目を瞬かせた後、自分がアスファルトの上に倒れていることに気付いた。
上体を起こす。
樹海の、森の切れ目がすぐそこにあった。
幼い頃、響と一緒に出てきたところだ、とすぐに分かる。
「一緒にいるって言ったくせに……」
消えゆくような声で、鳴は呟いた。

遠くから、車がやって来る。
鳴から少し離れたところで停まり、そこから厳つい顔の男が降りてきた。
出口だった。
彼はこちらに何かを叫びながらやって来る。
——一緒にいる、って。
もう一度だけ、鳴は呟いた。

第二十七章　響鳴 ―― 天沢 鳴

白い廊下を通り、小さな部屋へ入る。

テーブル越しに立った三人が、鳴に頭を下げた。

「この度は、大変申し訳ございませんでした」

真ん中にいる年嵩《としかさ》の医師が口火を切る。

向かって左にもうひとりの医師。右には女性看護師がいる。

何故《なぜ》、鳴が総合病院の精神科相談室に呼ばれたか。

それは、響のことだった。

鳴が樹海から出てきたあの日の朝、響は誰にも看取《みと》られず息を引き取っていた。

監視カメラが設置された病室、保護室だったはずなのに、担当の看護師たちが見落としたのだ。朝の巡回で部屋を訪れたとき、響が事切れていることが発覚した、と説明を受けた。

それに対し、鳴の驚きはなかった。

うすうすそんな予感がしていたからだ。

残された監視カメラの映像は信じられないものだったと、医師たちは恐縮している。

眠っている響の身体が宙に浮き、壁や床、天井に激突していた、と言うのだ。

最大の死因は、割れた便器の破片で自ら首の動脈を掻《か》き切ったことであった。

精神科の病室はこうしたことが起こらないように、出来るだけ柔らかい素材で壁面などを設《しつら》える。トイレも衝立だけ立てた状態にし、首が括れないよう配管は隠され、監視カメラも埋め込み式である。当然、患者も紐《ひも》がない衣服のみを身に付けなければならない。

「ですが、あんなことが起こっていたようで……」

医師曰く、警察も首を捻《ひね》っていたと言う。

医師たちは公の場での謝罪、そして賠償を考えていると話すが、鳴の耳には届かない。

(響は戦っていたんだ、独りで)

箱や樹海の呪いと。そして、その最中に樹海にいる鳴を助けに来てくれた。

樹海内と病院での響の行動を照らし合わせると、辻褄が合う。だから、あんなに苦しそうな様子だったのだろう。

あんな体験をした鳴だから、今はすぐに得心がいく。

響が自分で首を切ったときが、あの穴の中での出血と一致しているはずだ。

自ら命を絶つことで魂だけとなり、響は樹海へやって来られた。

そして、自分を、樹海内で彷徨《さまよ》う魂を、全てを救う樹となった。

（……響。アンタって子は）
突然零《こぼ》れ落ち始めた涙を見て、医師たちはただ狼狽《うろた》えることしか出来なかった。
病院を後にし、鳴は天沢の家までの道をゆっくり歩く。どこも思い出が一杯だ。
学校も、公園も、輝の実家も、再建の準備が始まった真二郎の寺も、美優の実家も。
そこら中に皆との記憶が色褪《いろあ》せず残っている。
立ち止まり、高い空を見上げた。
気の早い鰯雲《いわしぐも》が浮いている。風がほんの少し、秋の気配を含んでいた。
目を閉じると、母と響の顔が浮かんだ。
三人で散歩しながら、いろんなことを話したのを思い出す。
（あの日は、夏が終わる少し前だったっけ）
夕映えの空に、沢山の赤とんぼが飛んでいた。
母は、右の手に私の、左の手に響の手を繋《つな》いで、ゆっくりゆっくり歩いていた。
優しい風の中、母は柔らかな声で語りかける。
『ねえ、鳴、響』
『なあに？　ママ』
『どしたの？　まま？』

『鳴と響の名前は、ママの名前とすっごく関係あるの』

『かんけい？ ママとひびきのなまえと？ どうして？』

『ママの名前は琴音。琴の音。鳴は、琴の糸が琴全体と共鳴するところから。響は共鳴した綺麗《きれい》な音がもっと大きく響き広がって、皆に届くように、って願ってつけたんだよ』

『なら、ひびきは、めいちゃんをひろげるの？』

『うん。そうだよ。響。琴の音が、共鳴して、響き渡る。三人ずっと離れず、沢山の幸せに出会えるように、周りの皆を沢山幸せに出来るように、って。ママと鳴、響の名前は三人でひとつの意味になるんだよ』

鳴は目を開けた。青い空が滲《にじ》んで広がっていた。

花の微《かす》かに甘い香りが鼻をくすぐる。この季節なら、くちなしの香りだろうか。その花言葉を、鳴は思い出す。確か、「とても、幸せです」だった。


――ママ、鳴、ずっと一緒だよ。

第二十八章　音々――鳴

紺碧《こんぺき》の海が陽光を弾《ひ》き、キラキラと輝いている。

穏やかな風が頬を撫《な》でた。息を吸い込むと、微《かす》かに潮の香りを感じる。

白い柵から覗《のぞ》く眼下の景色は、海沿いの街の風景だ。

青々とした芝生の上で洗濯物を干しながら、鳴は空を見上げた。

抜けるような青空は、初夏の色をしている。

風向きが変わり、白いシーツが大きく捲《めく》れた。その向こうにはバーベキューのコンロが置かれ、背の高い男性がトングを手に調理を進めている。

白いシャツと黒い髪が風に靡《なび》いていた。その首の右側に、長い切り傷が残っている。

「ほら、音々、もう少し待っててよ」

優しげに呼びかける彼の足下を、可愛らしいワンピースを着たお下げの幼子がせわしなく駆け回っている。近くに干された白い体操着には〈わしお　ねね〉と入ったゼッケンが付けられていた。

「はぁい、パパ！」

音々と呼ばれた子は、父親から少し離れてこちらに向かって走ってくる。まだバランスが取りづらい体型のせいか、ポンポンと弾《はず》むように駆ける姿がほほえましい。

垂れ下がったシーツを捲り、音々が顔を覗かせた。

「……あれぇ？」

「ん？　ちょっとなにやってんの？」

鳴は音々に目線を合わせるようにしゃがみ、顔に落ちる髪を耳に掛け直した。その左手薬指には銀色のリングが光っている。

向こうで様子を見守る男性が、左手を挙げた。その薬指にもリングがあった。

お腹空いただろ？　と問いかける彼に、鳴は笑いながら答える。

「うん！　ぺこぺこ！　真二郎特製スペアリブ、楽しみだったんだぁ」

真二郎はニッコリ笑い、親指を立て、前に突き出す。

音々は鳴に絡まりついて離れない。まるで仔犬みたいだ。

（……あれから七年。いろいろなことがあったな）

もう、いなくなってしまった人たちのことを思い出してしまう。忘れられるはずもない。だから、生まれた娘は、沢山の想いを込めて、音々と名付けた。真二郎も賛成してくれた。

立ちながら愛する娘の顔をもう一度見る。音々は鳴の後ろを不思議そうに眺めていた。

「ママァ、かくしてる?」

「隠してる? ……なにを?」

「こっちきたでしょ?」

蝶々《ちょうちょう》や猫のことだろうか。訊《き》く前に、音々が走り出す。

「え……? ちょっと音々、どこ行くの?」

鳴の声を無視して、真二郎の近くに立てられた子供用テントを音々は覗き込んだ。

「ほら、音々。あんまり走り回ると危ないよ」

父親の注意を聞かず、音々は立ち上がった。

「音々、もうすぐお肉焼けるよ。音々ー?」

彼の声が聞こえていないのか、音々は一度も振り返らずにガレージの方へ駆けて行く。

(もう。あそこは物が多くて危ないのに)

干しかけたシャツを洗濯籠《かご》へ放り込み、鳴は娘の後を追った。

音々は全身を使ってシャッターを押し上げるが、大人の膝《ひざ》ぐらいまでしか開かない。その隙間から屈むようにして中へ入っていく。

鳴は腰を曲げて、シャッターに手を掛けながら音々を呼ぼうとした。

その時、中から幼い声が響いた。

「そこにいるんでしょ?」

ガレージ内を覗くと、薄暗い中、何かを探す小さな背中が見える。

鳴はシャッターをもう少し開けて、ガレージ内へ足を踏み入れる。

娘はこちらに気付かず、何かに問いかけている。

「ねー」

何かが、おかしかった。ハッキリと言語化できない、言いようのない不安があった。

音々が、その名を呼んだ。

「ひー、びき、ちゃん……？」

幼い娘の目が何かを捉えた。

鳴は、声なき叫びを発す。

我が娘の目の前には色褪《いろあ》せた紫の、あの風呂敷包みが、ポツンと置かれていた。


――来ちゃ駄目！


ガレージ内で反響したのは、聞き覚えのある声だった。

そう、それは、私の、妹の――。

終章　樹海

風が吹いていた。

森に向かって、強く。

黒に近い緑の重なりは、何かを覆い隠し、何かをここから出すことを拒んでいるかのように感じられた。

一瞬やんだ風の隙間を縫うように、湿った土と、針葉樹の匂いが漂ってくる。

轟《ごう》と風が唸《うな》る。葉擦《はず》れの音と絡み合い、慟哭《どうこく》のようだ。

巻き上がった空気の流れが、微《かす》かに背中を押した。

千切れた青い葉が、森へ吸い込まれていく。

握りしめた手の中が、汗ばんだ。

後ろから吹く風が、自身の髪を頰に叩《たた》き付けてくる。

吹き下ろしへと変わった流れが、髪全体を搔《か》き乱す。

風に煽《あお》られ、両足が揺らぎそうになった。

同じように心もまた、揺らぐ。今なら、まだ、選択の余地はある、と。

喉と目が乾く。
瞼《まぶた》を閉じることは出来ない。濃緑《のうりょく》の海がそれを赦《ゆる》さない。
風の流れが変わる。
全身を押すように、森から強く。
風に抗《あらが》うように、私は手足に力を込める。
背負ったリュックの中にある箱が、コトリ、と音を立てた。
風は絶えず吹き続ける。
深い緑の海へ飛び込むように、わたしは足を踏み出した。

――私の母と、その母であった人たちのように。

あとがき

おかげさまで、『樹海村〈小説版〉』も担当させて頂けることになりました。

まず、清水崇監督、脚本家の保坂大輔様、東映様、そして本書を上梓するに辺り奔走して下さった関係各位に謝辞を。

もちろん、応援し支えて下さった読者の皆様のお力に支えられたことも、この小説を書く原動力となりました。本当にありがとうございます。


さて、『樹海村〈小説版〉』は映画『樹海村』を小説にしたものです。

出来うる限り映画の内容を再現することがテーマなのですが、前作『犬鳴村〈小説版〉』とは少し違うアプローチで書かれています。

映画本編を始めとした各資料などを目にするうち、頭の中でこうしよう、ああしようと暴走してしまった結果です。

同じ「村」を舞台とした作品ですが、樹海村だからこそ、ともいえます。

読み比べて下さると一目瞭然、でしょうか？

ただし、映画の副読本的な一冊でもあることに変わりはありません。

映画を見る前に読んで、見てから読んで、更に読み直してからから見直すことで、様々なことが楽しめる、かも知れません。

加えて、本書には「青木ヶ原樹海や、森と言われる場所を取材した内容」と「日本国内で聞いた怪奇譚」をベースにした内容を含ませました。

現地が持つ空気感や、実録怪異譚的な雰囲気を感じられたとしたら、それが原因ではないかと思います。

そもそも、本書を執筆する際、いろいろなことが起こりました。

集めた資料が忽然《こつぜん》と姿を消す。

各種確認の電話中に、突然ノイズが入り、切れる。

原稿を纏《まと》める前に書き付けておいたメモに、打った覚えのない意味不明な文字列が入っている。

呪術について調べていると、突然仕事デスクの周りが表現し難いおかしな空気になったので首を捻《ひね》っていると、鳥や動物の声が外から響き渡り、元に戻る。

樹海関連のメモをパソコンに記録していると、急に挙動がおかしくなったので、慌てて保存したものの、何故かファイル名が勝手に変わっている。

等々、枚挙に暇《いとま》がありません。

特に、呪術と樹海関連の作業をしているときが酷《ひど》かったように感じます。然《さ》もありなん、でしょう。

そもそも、樹海のように深い森は異界です。

とはいえ、実際入ってみると分かりますが、昼間の樹海は美しい自然の姿で楽しませてくれます。

世に言うコンパスが効かなくなる、一度入ったら出られないなどの「青木ヶ原樹海の伝説」が正しくないことが分かるでしょう。森や低山で迷うのは、単なる道迷いや判断を間違えたせいが多いのですから。

ただし、日が暮れると森の中は空気が一変します。

夜の樹海・森が我々の生活している場所とは別の世界であると体感しながら、〈確かにそこにある何らかの存在〉も伺い知るのです。

映画『樹海村』で、その〈樹海の異界感〉が存分に堪能できるでしょう。

もちろん、本書『樹海村〈小説版〉』でも。

ここでひとつ申しますと、登場人物の何人かの視点で描いた外伝的な物語も挿入したいと思ったことがございました。

鳴や響、出口たち以外が垣間見た樹海村の世界です。

ページ数が長大になりそうだったため断念しましたが、実は頭の中で息づく物語が残っています。何らかの形でご覧頂けるとよいのですが。もちろん、樹海をテーマにした実録怪異譚ルポルタージュも脳内に構築されていたりします。

樹海村に続く、次の村は何処でしょうか?
日本各地を取材している身としては、あそこもここもある、と想像が膨らみます。
しかしその前に、映画『樹海村』と本書『樹海村〈小説版〉』をじっくりとお楽しみ下さることを願います。

皆様に、素晴らしい樹海体験が訪れますよう。

二〇二一年　令和三年

久田　樹生

久田樹生 Tatsuki Hisada

作家。徹底した取材に基づくルポルタージュ系怪談を得意とするガチ怖の申し子。代表作に『犬鳴村〈小説版〉』『「超」怖い話　怪怨』『「超」怖い話ベストセレクション　怪業』『怪談実話　刀剣奇譚』（以上、竹書房文庫刊）など。

樹海村〈小説版〉

２０２１年１月２８日　初版第一刷発行
２０２１年３月２５日　初版第二刷発行

著……久田樹生
脚本……保坂大輔、清水崇
カバーデザイン……石橋成哲
本文ＤＴＰ……ＩＤＲ
編集協力……大木志暢

発行人……後藤明信
発行……株式会社竹書房
〒102-0072　東京都千代田区飯田橋２－７－３
電話　03-3264-1576（代表）
03-3234-6208（編集）
http://www.takeshobo.co.jp
印刷・製本……中央精版印刷株式会社

ISBN978-4-8019-2529-8　C0193
Printed in JAPAN